図解 即 戦力 豊富な図解と丁寧な解説で、知識0でもわかりやすい！

証券業界の

しくみとビジネスが
しっかりわかる教科書

これ1冊で

楽天証券経済研究所
シニアマーケットアナリスト
土信田雅之
監

JN100011

技術評論社

ご注意：ご購入・ご利用の前に必ずお読みください

はじめに

　ここ数年は、ライフプラン（人生設計）を踏まえた資産運用ニーズの高まりなどもあって、株式・投資信託などへの証券投資に関心を持つ人が増えてきました。実際に、インターネットを通じた取引サービスはすでに当たり前の存在になっていますし、個人投資家のための税制優遇制度であるNISA（ニーサ）や、個人型年金制度のiDeCo（イデコ）といった投資環境の整備も進んでいます。

　このように、投資という面では証券会社とかかわる機会が着実に増えているわけですが、その一方で、証券会社および業界が具体的にどのようなビジネスを行っているのかについては、「イマイチよくわからない」という人も多いのではないのでしょうか？　また、就活生にとっても、証券会社は毎年一定の人気を誇っていますが、具体的なイメージを描きにくい業界でもあるようです。

　金融業界という大きな枠組みのなかで、銀行がメインプレイヤーとなっている「間接金融」とは異なり、証券会社が担っている守備範囲は「直接金融」と呼ばれ、国内外の企業や国が発行する株式や債券を投資家が購入し、その購入資金が企業や国に直接供給されるしくみに携わっています。業務内容が多岐にわたっているほか、世の中の大きな流れや変化に応じて、新たなビジネスも次々と誕生するなど、ダイナミックさも持ち合わせています。

　本書は、証券業界の概要やしくみ、基本的な知識、ビジネス環境などについてわかりやすく解説しています。本書を通じて証券業界およびそのビジネスの魅力に触れ、理解を深める一助となれば幸いです。

2021年3月

土信田　雅之

CONTENTS

Chapter 3

日本の証券会社

Chapter **4**

証券会社のビジネスのしくみ

Chapter 5

証券業界が取り扱うさまざまな金融商品

Chapter 6

証券会社の仕事と組織

Chapter 7

支店証券マンの仕事

Chapter 8

グローバルな視野が必要な証券業界

Chapter 9

証券業界の課題と未来

第1章

証券業界を
取り巻く環境

金融業界のなかでも、銀行と違って証券会社はなかな
か身近に感じにくい存在かもしれません。しかし、自
分で資産形成をする必要があると叫ばれる昨今は、付
き合いを深めていく必要がありそうです。第1章では、
日本の証券業界の概要と現状を理解しましょう。

Chapter1 01

日本の証券業界を
けん引する大手総合證券

大手総合証券はここ十年来、個人や中小企業を対象にしたリテール営業に力を入れていましたが、売買手数料を稼ぐビジネスモデルが厳しくなってきたため、富裕層を相手にするプライベートバンキングに注力しています。

📍 国内5大証券を把握しよう

国内証券では、次の証券会社が「大手5大証券」と呼ばれています。野村ホールディングスは大手5社でも最も巨大な規模を誇り、法人・リテール（P.44参照）ともにトップの証券会社です。世界30か国以上に拠点があり、世界的に活躍しています。

大和証券グループ本社は業界2位。三井住友（SMBC）との合弁を解消し、独立路線へ回帰。リテールに強みをもっています。さらに、デジタル・ネイティブ世代を対象とした証券サービスを提供するために、スマートフォンを活用したCONNECTという新サービスを展開しています。

SMBC日興証券は米シティグループを経てSMBC傘下に。2018年1月には、SMBCフレンド証券と合併しました。銀行系証券会社として、銀行からの顧客紹介を通じて安定的な顧客基盤を形成しています。

みずほ証券は、みずほインベスターズ証券と2013年に合併。業界トップの254拠点の国内ネットワークを有しています。旧興銀系の名残で社債市場に強みをもっています。

三菱UFJ証券ホールディングスは、1994年に三菱グループ入りし、米大手モルガン・スタンレーとの合弁2社（三菱UFJモルガン・スタンレー証券、モルガン・スタンレーMUFG証券）を統括しています。また、子会社にはネット証券大手のauカブコム証券があります。

大手証券はリテール業務に加え、債券や株式のトレーディングやM&A助言などホールセール（P.44参照）やグローバル市場に強いという特徴があります。しかし、近年はプライベートバンキングに力を入れる動きが目立っています。

ネット証券
実店舗をもたず、インターネットを通じて株式などの取引サービスを行う証券会社のこと。実店舗がない分、コストを抑えることができるため、大手総合証券と比べて売買の手数料が安い、または無料。

M&A
P.88参照。狭義では、企業や事業の経営権を移転させること。その手法として、合併や株式譲渡（譲受）、事業譲渡（譲受）などが行われる。

プライベートバンキング
金融機関が富裕層を対象として行う総合的な金融サービス。証券会社によって基準が異なるが、金融資産（不動産を除く）は、米ドルで100万ドル、日本円で1億円以上が対象になることが多い。

▶ 大手5大証券の今と昔

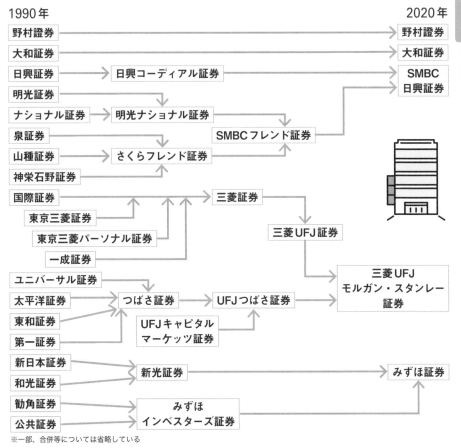

1990年 / 2020年

※一部、合併等については省略している

🖋 ONE POINT

新富裕層が
新たなリテール営業のターゲット？

　日本における富裕層は60代以上が多く、すでに取引をしている証券会社で取引を継続する傾向があります。しかし、若年富裕層も増えています。夫婦ともに働き、合わせて年収2,000万円以上になる層が新規顧客として、証券会社のターゲットになってきているのです。

　リテール営業はプライベートバンキング部門を強化し、定年退職したシニア層が中心であるのは変わりませんが、このような若年富裕層も新たなターゲットになっているので、大手・準大手証券問わず20代の若手社員を新富裕層の開拓にあてています。

総合証券化に活路を見い出す準大手証券

準大手証券はリテールを重視した営業形態が特徴ですが、ネット証券の好調を受け、今後の生き残りを図るために、ホールセール業務に活路を見いだそうとしています。

合併や統合によって準大手証券は2社に

準大手証券とは、大手5社に次ぐ規模を誇り、全国各地に営業拠点を設けて顧客にサービスを提供する証券会社のことです。かつては「準大手証券10社」と呼ばれるグループがありましたが、業界再編や経営統合によりその数は減少。現在は、東海東京フィナンシャル・ホールディングスと岡三証券グループを準大手証券と呼ぶのが一般的です。

準大手証券は高齢化の影響を受けやすい

準大手証券の顧客基盤は、高齢化の影響によって減少しつつあります。

顧客の年代別預かり資産を公開している東海東京証券のデータ（右図）を確認してみましょう。2019年3月末における個人顧客の預かり資産の約半分（49.8％）が70歳代以上になっているのがわかります。しかし、金融庁は高齢者へのリスク性が高い金融商品の販売の規制を強めていることから、このままだと収益率は低下していくでしょう。

準大手証券は、伝統的な対面販売を中心としたリテール営業が主軸でした。しかし、リテールの主戦場はネット証券が中心となり、既存顧客の高齢化も進んでいます。また大手総合証券の富裕層をターゲットとしたリテール回帰が進むなかで、富裕層ビジネスに注力するのも厳しくなっています。

そこで、準大手証券が目指しているのは「総合証券化」。リテールや富裕層向けのプライベートバンキングに特化するのではなく、ホールセールや投資銀行業務から、富裕層、個人の小口取引まで幅広くカバーすることで、生き残りを図ろうとしています。

東海東京フィナンシャル・ホールディングス
預かり資産6.2兆円。東海地域を地盤とする証券会社。現在は、地銀と連携を進めている。

岡三証券グループ
預かり資産5.1兆円。独立系の証券会社で三重県が地盤。傘下にネット証券や運用会社をもち、現在は、ネット取引を強化している。

投資銀行業務
事業法人や機関投資家、政府系機関などの大口顧客を相手に行う資金調達業務(株式や債券の引受)や財務アドバイスなどの業務を指す(P.140参照)。

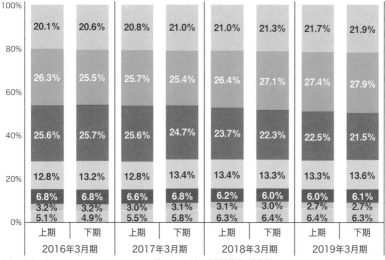

▶ 東海東京フィナンシャル・ホールディングス預かり資産推移（年代別）

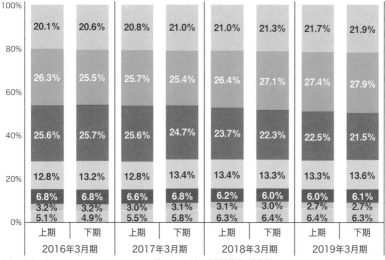

出典：東海東京フィナンシャル・ホールディングス　2019年3月期決算説明会資料

グラフを見ると、40歳以下の顧客層がいかに少ないかがわかります。高齢者がどんどん増えていく現状を踏まえると、準大手証券はビジネスモデルの転換が急務といえるでしょう。

▶ 金融庁のガイドラインにおける高齢者への規制例

1 75歳以上を目安として高齢顧客とし、80歳以上を目安としてより慎重な勧誘による販売を行う必要がある顧客とする。

2 勧誘可能な商品（国債、普通社債、安定的な投資信託、上場株式等）以外の「勧誘留意商品」については、75歳以上の高齢顧客には役席者による事前承認が必要。

3 80歳以上の高齢顧客については、原則として勧誘日の受注は不可で、営業担当とは別の役席者が受注する。

4 80歳以上の顧客には約定後に約定結果を連絡する。

015

Chapter1
03

独自色で生き残りを図る地場証券

地元に密着した営業活動をしているのが地場証券です。ただ、株式売買手数料が自由化されてからはネット証券などの台頭もあり収益力は低下。収益力の強化を図るために独自の戦略を行っています。

● そもそも、地場証券ってなに？

　地場証券とは、個人投資家を対象として地元に密着した営業活動をする小規模な証券会社のことです。独自性を打ち出している証券会社が多いのが特徴です。地域密着で地元の富裕層に根強い支持を得ている証券会社や、中国株やアジア株などの売買に特化している証券会社もあります。地場証券は、大手や準大手にはない品揃えと顧客に近い距離が特徴といえるでしょう。これは、大手証券のように全国規模の転勤などがないため、長い期間、同じ顧客を担当することができるからです。

　しかし、ネット証券の台頭で収益が悪化していた地場証券にとって、2008年のリーマンショックは大きな痛手になりました。日本株の大幅下落で個人投資家が損失を抱え、取引を控えるようになったからです。その結果、リーマンショック後には、地場証券の廃業が相次ぎました。さらに、ネット証券の台頭や大手のリテール回帰により、地場証券も新規分野に進出しないと生き残れなくなってきています。

リーマンショック
2008年9月に米国の有力投資銀行の1つリーマン・ブラザーズが経営破綻したことをきっかけに、世界的に起こった金融危機（P.178参照）。

● 独自路線の開拓に成功した松井証券

　現在は大手ネット証券5社の一角を占める松井証券も、もとは100年に渡って営業を続けてきた老舗の地場証券でした。1990年代の後半、インターネットの普及や金融ビッグバンという大きな変化にいち早く対応して、当時としては画期的だったインターネットによる株式売買サービス「ネットストック」を開始。地場証券からオンライントレード専業の「ネット証券」への転換に成功しました。

自己売買
証券会社や銀行などの金融機関が、自分自身の勘定（資産）で債券や株式等の売買を行うこと。「ディーリング」とも呼ばれる（P.144参照）。

▶ 地場証券におけるリテール業務の収益は悪化している

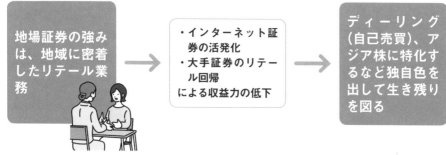

地場証券の強みは、地域に密着したリテール業務

→

・インターネット証券の活発化
・大手証券のリテール回帰
による収益力の低下

→

ディーリング（自己売買）、アジア株に特化するなど独自色を出して生き残りを図る

▶ 主な地場証券と特徴

社名	特徴
香川證券	●香川県高松市に本社を置き、四国を中心に営業している ●取扱商品は株式、投資信託、外債、仕組債、NISAなど ●PC・スマートフォン用オンライン照会サービス「ネットdeらくだ」や新商品の案内、講演会、イベントなどの情報をメール会員にお知らせするサービスがある
立花証券	●東京都中央区に本店を置き、そのほか都内各所に5店舗。横浜、千葉、大阪、名古屋にも支店がある ●取扱商品は、国内株式、債券、投資信託、先物・オプション、香港株・中国株など ●対面取引、オンライントレード（立花証券ストックハウス）と選択可能
明和證券	●東京都中央区に本店を置き、都内に2店舗、そのほか埼玉県、栃木県、茨城県にも支店がある ●取扱商品は、国内外株式、投資信託、債券、生命保険など ●対面取引にこだわる昔ながらの証券会社
ひびき証券	●大阪中央区に本店を置き、東京にも支店がある ●取扱商品は、株式、債券、投資信託など ●リテール業務以外に、私募ファンド運用、M&A業務、資金調達支援、TOB代理人などのアドバイザリー業務も行っている
アーク証券	●東京都千代田区に本社を置き、名古屋に本店がある ●取扱商品は、株式、債券、投資信託など ●不動産賃貸や売買、不動産の取り次ぎ業務なども行っている

Chapter1
04

アベノミクスでセルフ層の需要が回復しつつある？

ネット証券で取引しているのは、主にセルフ層です。2008年のリーマンショック以降、セルフ層の取引は減少していましたが、2012年末からのアベノミクス相場により、セルフ層の需要が回復しています。

そもそも、セルフ層ってなに？

セルフ層とは、自分の意思で株式などの取引をする投資家のことで、大半の人がネット証券を通じて株式の取引を行っています。

セルフ層は、1996年から実施された「金融ビッグバン」によって増加したといわれています。

金融ビッグバン
金融ビッグバンとは、もともと1986年の英国における証券市場改革のことだが、日本の金融ビッグバンは1997年の「金融システム改革のプラン」に盛り込まれた政策を指す。

金融ビッグバンでは、フリー・フェア・グローバルの理念のもと、抜本的な金融市場の改革が進められました。そして株式売買手数料の自由化によって、1998年に、松井証券が日本初のインターネット取引を開始したのです。

それまでの対面証券では、注文を出したり株価をチェックしたりするためには証券会社に電話をかけなければならず、手間がかかっていました。

しかしネット証券を利用すれば、いつでも株価をチェックできるほか、売買の発注や損益の確認を個人がリアルタイムで自らできるようになったのです。

アベノミクスでセルフ層の取引が活発に

2001年のネットバブル崩壊や2008年のリーマンショックなどにより、日経平均株価は1万円を切る状態まで下落。セルフ層の取引も減少していました。しかし2012年のアベノミクス相場以降、セルフ層の取引が活発になります。安倍政権が打ち出した政策（アベノミクス）を好感し、株式市場に活気が戻ったからです。

ネットバブル
1990年代末期から2001年にかけて、米国を中心に起こったインターネット関連企業の実需投資や株式投資のバブルのこと。しかし、FRB（連邦準備制度理事会）による利上げを契機に株価は急速に下落した。

証券業界では、不況のあいだはお金をもっている富裕層にターゲットを絞っていました。しかしアベノミクス以降は、ターゲットをセルフ層まで広げ、税制面で優遇されるNISAやiDeCo（P.22参照）といった制度の案内に力を入れています。

▶ 2000年以降のセルフ層の動き

2000年代

IT技術の発達

ネット証券の台頭

→ 顧客が自ら金融商品を取引する時代へ

2008年 **リーマンショックによりセルフ層の取引が縮小**

2012年 **アベノミクスで市場が活況** → 自分で取引するセルフ層の動きが活発化

▶ 金融ビッグバンによる金融市場の改革

金融ビッグバン

❶ フリー（自由）

❷ フェア（公平）

❸ グローバル（国際化）

金融持株会社の解禁

→ 証券業の登録自由化
各種手数料自由化

ディスクロージャー
（企業の情報開示）の徹底

📌 ONE POINT

デイトレーダーは
今後どうなっていくのか？

　金融自由化後、ネット証券の台頭で増えたのがデイトレーダーでした。デイトレードとは、1日で取引を行い、決済する取引手法です。当初デイトレーダーは、現物株のみを取引していましたが、次第に信用取引を活用して積極的に取引をし、市場での存在感を増していきました。しかし、2010年1月に東証アローヘッドがはじまると、コンピュータによる超高速取引が台頭し、人の手による売買ではスピードについていけず、デイトレーダーの存在感は低下。また、FXや仮想通貨など投機性の高い商品が誕生したことで、多くのデイトレーダーがより収益性の高い商品へ流れていきました。

　しかし、今や日経平均株価はバブル崩壊後の高値を更新し、株式市場は活況を取り戻しています。高頻度取引システムを個人投資家に提供するネット証券もあり、ふたたびデイトレーダーが市場で脚光を浴びる時代もやってきそうです。

Chapter1
05

日本取引所グループの誕生

2013年に東京証券取引所グループと大阪証券取引所が経営統合し「日本取引所」が誕生。2020年7月には、証券デリバティブと商品先物を一体で行う「総合取引所」も誕生。取引所がどのような役割を担うのか知っておきましょう。

日本取引所グループとは

日本取引所グループは、東京証券取引所グループと大阪証券取引所が2013年1月に経営統合して誕生しました。株券などの有価証券の売買や、デリバティブ取引の市場施設の提供、相場の公表や売買の公正性の確保などを行う体制を整えています。

2019年10月には東京商品取引所を子会社化し、商品先物取引を行うために必要な市場の開設・運営にかかる事業を開始しました。なお、現物株の取引は、「東京証券取引所」で行われています。2013年の大阪証券取引所との経営統合により、それまでの東京・大阪の二極化から、東京への一極集中が図られました。そして、大阪証券取引所は東証のデリバティブ市場を引き継ぎ、デリバティブ取引所としての役割に専念することになりました。2014年3月には「大阪証券取引所」から「大阪取引所」に商号を変更しています。

2020年には総合取引所が誕生

2020年7月27日には、貴金属やゴム、農産物の取引を東京商品取引所から大阪取引所に移管。証券デリバティブと商品先物取引を一体で行う「総合取引所」が誕生しました。

総合取引所の狙いは、日本市場の国際競争力強化です。世界の取引所は、商品と証券のデリバティブを一緒に取り扱うのが主流で、日本のみが商品と証券のデリバティブを区別している状態を続けると、市場の地盤沈下が進みかねないとの懸念があったのです。総合取引所になって市場参加者が増えれば、取引規模が縮小している商品先物だけでなく証券も含めた日本のデリバティブ市場全体の活性化が期待できます。

デリバティブ取引
株式や債券などの原資産と呼ばれる金融商品から派生した取引。先物取引やオプション取引がその一例。

東京商品取引所
商品先物取引法に基づき、貴金属や石油、ゴム、農産物、砂糖などの先物取引の市場を開設・運営してきた取引所。

商品先物取引
将来の一定期日に一定の商品を売買することを約束して、その価格を現時点で決める取引のこと。

上場
上場とは、会社が発行する株式を証券取引所で売買できるよう、証券取引所が資格を与えることをいう。

日本取引所グループのしくみ

	現物市場	デリバティブ市場	自主規制機能
上場	**東京証券取引所** ■ 市場第一部、市場第二部 ■ Mothers、JASDAQ ■ TOKYO PRO Market ■ TOKYO PRO-BOND Market	**大阪取引所** ■ 株価指数　■ 個別株式 ■ 債券　　　■ 貴金属 ■ ゴム　　　■ 農産物 **東京商品取引所** ■ エネルギー	**日本取引所 自主規制法人**
売買	✓ 有価証券上場規定等によるルールや規範の運用 ✓ 売買等の執行　　✓ 適時開示の支援等 ✓ 相場情報、指数等の配信		✓ 上場審査　　✓ 上場管理 ✓ 売買審査　　✓ 考査
清算	**日本証券クリアリング機構**　清算機能（現物取引、デリバティブ取引、店頭取引）		
決済	**証券保管振替機構**　決済機構（有価証券の保管・振替等）		

現在は、市場第一部・市場第二部・Mothers・JASDAQ（スタンダードおよびグロース）の4つの市場区分がありますが、2022年4月1日をめどに、プライム市場・スタンダード市場・グロース市場の3つに市場区分が見直しされる予定です。

日本取引所グループのビジネスモデル

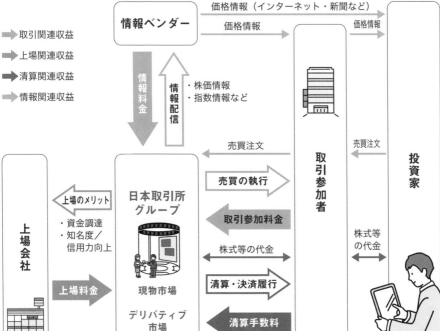

出典：https://www.jpx.co.jp/corporate/about-jpx/business/index.html

Chapter1 06

普及が進む非課税制度の NISA や iDeCo

税制優遇がある資産形成制度が普及しています。2014年に始まったNISAは、値上がり益や分配金に対する税金がかかりません。またiDeCoは、2017年から対象者が大きく拡大、現役世代が原則全員入れるようになりました。

NISAのしくみと特徴

株式や投資信託などの金融商品に投資した場合、受け取った配当金や売却した利益に対して約20%の税金がかかります。しかし、NISAやiDeCoなどの非課税制度を利用すれば、金融商品から得られる利益が非課税になるのです。老後資金に対する先行き不透明感から現在も加入者が増え続けています。

まず、NISAは2014年1月にスタートした、個人投資家のための非課税制度です。そのなかで、成人以上の人が対象となるのが「一般NISA」と「つみたてNISA」の2種類です。一般NISAでは、年間120万円までの投資で得た利益が、最長5年間非課税になります。

一方のつみたてNISAは、2018年1月に始まった少額からの長期・積立・分散投資を支援するための非課税制度。購入金額は年間40万円、非課税期間は20年です。2037年までに開始すれば、最大800万円（40万円×20年）を非課税で運用できます。

約20%の税金
従来は利益に対して所得税15%＋住民税5%で20%の税金だったが、2013年1月から2037年末までは、東日本大震災の復興特別所得税が2.1%所得税に上乗せされるため、15.315%＋5％＝計20.315%の税金がかかることになる。

iDeCoのしくみと特徴

iDeCoは、個人型確定拠出年金の愛称で、自分が拠出した掛金を自分で運用しながら積み立てて資産を形成する年金制度です。掛金は毎月5,000円から1,000円単位で選べ、掛金を60歳まで拠出。そして、60歳以降に老齢給付金を受け取れます。

iDeCoでは、NISA以上にさまざまな税制優遇を受けられるメリットがあります。まず1つ目は、積立時に掛金が全額所得控除になること。2つ目が運用時に分配金などの運用益が非課税になること。そして、3つ目は、受取時も受取方法にかかわらず一定額まで非課税になることです。

老齢給付金
確定給付企業年金や確定拠出年金などの企業年金制度において、老齢を要件として受け取れる年金または一時金のこと。

▶ 購入した株式・投資信託等が値上がりした後に売却したケース

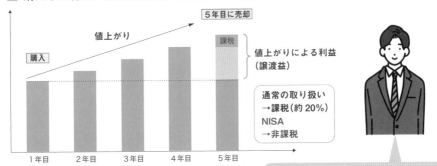

出典：金融庁

現行制度の終了する2024年から、新NISA制度がスタートします。NISAは年102万円（従来同様）と20万円（つみたてNISA同様）の2階建て制度となり、2028年まで5年延長されます。つみたてNISAは2042年まで5年延長されます。ジュニアNISAは終了となります。

▶ つみたてNISAのしくみ

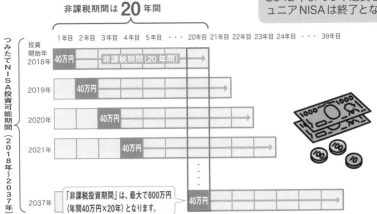

出典：金融庁

▶ iDeCoのしくみ

Chapter1
07
小売業やカード会社などの異業種からの参入が増加している

異業種からの金融事業への参入が相次いでいます。キーワードは、「フィンテック」。世界的に普及したスマートフォンのインフラやビッグデータ、AI（人工知能）などの最新技術を利用した金融サービスを目指しています。

異業種の証券業参入で業界の構図も変わりつつある

　大手総合証券とインターネット証券が競ってきた証券業界の構図も変わろうとしています。小売業やカード会社など異業種の参入が増え、第3勢力を形成しつつあるからです。小売業やカード各社は、本業で培った若年層の顧客基盤を活かし、将来に備えた資産運用のニーズを抱え込む戦略です。証券業界への新規参入は、通信大手のKDDI、無料対話アプリのLINE、小売業の丸井グループなどがあります。

　証券業界の既存顧客はどちらかというと中高年層に偏っていましたが、こうした新しい業種の参入により、顧客層の拡大を目指しています。

丸井グループが証券業に参入

　2018年5月、百貨店やファッションビルを運営する丸井グループが、すべての人に金融サービスを提供するというファイナンシャル・インクルージョン（金融包括）を掲げ、証券事業に参入することを発表しました。丸井の100％子会社である「Tsumiki証券」を通じ、丸井グループが発行するクレジットカードを決済手段とした投資信託の販売を行うことが目的です。丸井グループの強みは何といっても顧客の若さ。丸井のクレジットカードである「エポスカード」の会員の約半数が20〜30歳代で、しかも7割が女性です。残念ながら、同じような顧客層を抱える証券会社はありません。丸井は、日本の将来を担う世代と日々向き合っている会社といえます。

　第3勢力の拡大に、大手総合証券も対抗策を打ち出しています。大和証券グループ本社は、クレディセゾンと提携し、決済などの

ファイナンシャル・インクルージョン
貧困や難民などにかかわらず、すべての人が生涯にわたり経済的に安定した生活を営むことができるよう、金融の知識やノウハウ提供、金融サービスへのアクセス等の支援を行うこと。

Tsumiki証券
丸井グループ100％出資で、つみたてNISAの対象となる投資信託をクレジットカード決済で販売する証券会社。

クレディセゾン
日本のクレジットカード会社。国内最大級の会員数と、カード取扱高を誇る。

▶ Tsumiki証券の特徴

つみたて NISA対象の 投資信託に 特化	投資信託は 厳選された 4銘柄	支払いに エポスカード を利用すれば、 エポスポイント も貯まる	全国の マルイに 相談窓口を 設置

▶ 丸井グループが掲げるファイナンシャルインクルージョン

金融サービスを開発。野村ホールディングスもLINEと証券会社を設立して投資初心者の取り込みを急いでいます。今後は、大手総合証券とネット証券、第3勢力が必要に応じて手を組みながら、証券サービスの拡充が進んでいくでしょう。

Chapter1 08

老後2,000万円問題が 世の中に与えた衝撃

金融庁が2019年にまとめた報告書による「老後2,000万円問題」は、多くの人が老後について考えるきっかけになりました。2,000万円という金額ばかりが一人歩きしていますが、実際にはどのような問題なのでしょうか。

「人生100年時代」への備えとは？

日本人は年々長寿化しています。1950年代の男性の平均寿命は約60歳でしたが、現在は約81歳まで伸びています。そして現在60歳の人のうち、約4分の1が95歳まで生きるという試算もあり、まさに「人生100年時代」を迎えようとしているのです。

そんななか2019年6月、金融庁から「老後資金として必要な貯蓄額は2,000万円」という衝撃的な報告書が発表されました。これは、人生100年時代を迎えると、定年退職後の人生が伸びるため、95歳まで金銭面の問題なく過ごすためには、夫婦で約2,000万円の金融資産の取り崩しが必要になるという内容でした。

金融庁
2000年7月に金融監督庁と大蔵省金融企画局が統合して発足した、日本の行政機関の1つ。金融機能の安定を確保し、金融商品の投資者等の保護、金融の円滑を図るといった目的をもつ。

そもそも、2,000万円はどうやって計算されたの？

収入を年金のみに頼る無職世帯のモデルケースにおいて、退職後からの約30年間の老後を生きるために、2,000万円の老後資金が必要になるとしたその報告書の内容を確認してみましょう。

2017年の総務省の家計調査報告によると、夫65歳以上、妻60歳以上の高齢夫婦無職世帯における平均的な収入（年金）は月額209,198円ですが、支出は263,718円です。つまり、毎月54,520円の赤字が発生していることになるのです。老後を30年間として計算すると、約1,962万円の赤字になります。年金以外の収入がない場合、この赤字は、貯蓄から補填する必要があります。これが、老後資金として2,000万円を準備する必要があるといわれた真相です。

総務省
国家の基本的なしくみに関わる諸制度、国民の経済や社会活動を支える基本的システムを所管している行政機関。

毎月約5.5万円の赤字という試算は、老後の生活スタイルによって異なるため、全員に当てはまるわけではありません。ただ、平均的な高齢無職世帯の夫婦の収支として参考にできるでしょう。

▶ 人口の増加に伴う老後への先行き不安感

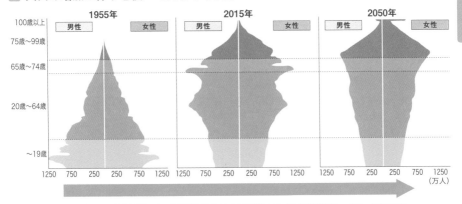

出典：総務省「国勢調査」、国立社会保障・人口問題研究所「日本の将来推計人口（平成29年推計）」より、金融庁作成

少子高齢化が続くと、現在の公的年金制度のしくみでは立ちいかなくなる可能性があります。そのため、受給年齢の引き上げや支給する年金額の減少は今後も続くと想定されます。

▶ 金融庁による、毎月5.5万円の赤字が出る場合の試算

夫65歳以上、妻60歳以上の無職の世帯

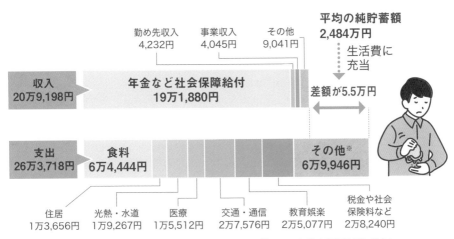

出典：総務省「家計調査」をもとに金融庁まとめ

Chapter1
09

コロナショックで証券会社の口座開設数が増加している？

コロナショックにより、日経平均株価は2020年3月19日に16,358円の安値をつけました。年初1月の高値24,115円から7,757円も下落したのです。しかし、ネット証券を中心に新規口座の開設数は増えています。その原因はなんでしょうか。

ネット証券の売買が活況で新規口座も増加

ネット証券で日本株の売買が増えています。ネット証券大手5社（SBI証券・楽天証券・マネックス証券・松井証券・auカブコム証券）の2020年の上半期の売買代金は153兆円と、2019年下半期から6割も増加。集計可能な2012年上半期以降で過去最高になりました。これは、新型コロナウイルスの感染拡大を受け株価が下落した一方で、投資のチャンスと捉えた個人投資家の売買が膨らんだからです。

また、投資初心者の参入も進みました。大手5社の新規口座開設数は、新型コロナウイルスの感染拡大前の2019年12月は12万件程度でしたが、2020年5月は31万件も開設されました。

個別のネット証券を見てみると、日経平均株価が急落した2020年3月期の楽天証券の月間新規口座数は16万4,011口座となり、ネット証券業界歴代最多の新規口座獲得数となりました。なお、新規口座開設した人の属性を調べると、2016年と比べて30代以下の若年層や投資初心者の比率が増加しています。また、女性の比率も7.6％増えています。

年金制度への不信感なども相まって、自らが資金を作り出すという動きは今後も加速しそうです。

ネット証券は好調だが、大手総合証券は苦戦している

ネット証券の好調に対し、新型コロナウイルスの感染拡大で対面営業の自粛が広がり、大手総合証券は金融商品の販売が難しくなっています。大手総合証券の野村ホールディングスと大和証券グループ本社は、4月の個人向け証券部門の収益が1～3月の平均比で2割減ったことを明らかにしました。

▶ 楽天証券の口座開設をした顧客の属性変化

30代以下、5割から6割に増加

初心者比率、6割から7割に増加

	20代以下 21.9%	30代 29.1%	40代 25.7%	50代 14.7%	60代以上 8.6%
2016年					

	初心者 58.8%	経験者 41.2%
2016年		

	20代以下 29.4%	30代 31.6%	40代 21.9%	50代 12%	60代以上 5.1%
2020年3月					

	初心者 72.3%	経験者 27.7%
2020年3月		

女性比率、3割から4割に増加

	女性 30%	男性 70%
2016年		

	女性 37.6%	男性 62.4%
2020年3月		

出典：https://prtimes.jp/main/html/rd/p/000000308.000011088.html

2016年と2020年3月の口座開設数を比較すると、若年層を中心として投資ニーズが高まっているのがわかります。

▶ 大手総合証券はコロナの影響で苦戦中

対面営業の
自粛

顧客の
外出自粛

対面取引を主戦場とする
大手総合証券は、収益が悪化

テレワーク
"tele = 離れた所" と "work = 働く" を合わせた造語。働く場所によって、自宅型テレワーク（在宅勤務）、移動中などに携帯やパソコンを使って働くモバイルワーク、サテライトオフィスなどでの勤務を指す施設型テレワークの3つに分けられる。

　新型コロナウイルスの収束が見えない現状を踏まえると、大手総合証券の苦境はしばらく続くかもしれません。また、収束してもテレワークなどを中心としたビジネスモデルの転換が進む可能性も高いでしょう。

LINE証券が証券業界に与えた衝撃

LINE証券が若年層の ニーズを叶える存在に

LINE証券は、LINEアプリを使った始めやすさと使いやすさが特徴です。通常の証券会社は、専用アプリのダウンロードが必要だったり、口座開設に資料の送付が必要だったりと意外と手間がかかります。

しかし、LINE証券では口座開設から株式の売買までほぼすべてが、スマートフォンのLINEアプリ上で完結できます。

そもそもLINE証券は、LINEの金融会社であるLINE Financial株式会社が51%、野村ホールディングスが49%を出資して共同設立した証券会社。設立の目的は「投資をもっと手軽に、身近なものにする」ことです。

LINE証券ではLINEの使いやすさと、野村證券の金融の専門性をかけあわせたサービスを提供することで、約8,400万人といわれるユーザーのニーズに答えようとしているのです。

LINE利用者の約70%は20〜50代の資産形成世代です。将来に向けての資産形成の必要性を感じている人が多いため、LINE証券を通じた投資への期待は大きいといえるでしょう。

LINE証券の特徴

LINE証券の大きな特徴は、端株取引です。国内の主要な上場企業315銘柄が1株から取引できるのです。直感的でシンプルなデザインで、投資未経験者にも取引しやすいように工夫しています。

取引時間は午前9時から午後9時まで。取引所に直接注文を出すのではなく、投資家とLINE証券との相対取引で売買します。これなら、日中仕事などで忙しく、株式の取引ができないサラリーマンなども利用しやすいでしょう。

若年層の資産形成ニーズが高まるなか、普段利用しているLINEアプリで金融商品を購入できることは、今後の利用者拡大の大きな原動力になりそうです。

第2章

証券業界の
基礎知識

顧客と市場をつないで、株式売買の仲介をするという
のが証券会社の一般的な業務のイメージでしょう。し
かし、ひとことに証券会社といっても、その企業規模
や事業内容はさまざまです。第2章では、証券業界を
理解するために、知っておきたい歴史から基本的な知
識について解説します。

Chapter2 01

日本の証券業の始まり
～世界恐慌や終戦までの歴史～

日本の証券業の始まりは、江戸時代の米相場に由来するといわれています。ただ近代的な証券業の始まりは、明治時代初頭に株式取引所が設立された1870年代です。その歴史を振り返ってみましょう。

証券市場の形成期

日本の証券市場の始まりは、証券発行時点ベースで考えると、ロンドンで9分利付外国公債が発行された1870年となります。流通市場の誕生の側面から考えると、東京と大阪に株式取引所が設立された1878年になります。その後、名古屋など各地に次々と証券取引所が設立され、それぞれの証券取引所周辺に、注文を取り付けるための証券会社が誕生したのです。

戦前の日本の株式市場は投機的

第1次世界大戦を機に、米国は債権国に転じました。そして自動車・電力・石油などの産業が台頭し、「永遠の繁栄」と呼ばれる時代になったのです。しかし、1920年代後半からはファンダメンタルズの裏付けを欠いた投機的要素が強まり、1929年に始まる暴落を深刻化させたのです。1929年に米国で起こった株価大暴落（暗黒の木曜日）は単なる証券恐慌にとどまらず、米国全体の景気が後退していきました。1933年のGNPが1929年の3分の2の水準まで落ち込み、失業者は約1,300万人、4人に1人が失業している状況に。そしてダウ平均株価は1932年に、1929年の高値の6分の1にまで落ち込んだのです。

日本も第1次世界大戦をきっかけとする産業構造の重化学工業化で、財閥系企業を中心に資本金500万円を超える大企業の設立が急増しました。しかし取引所には優良企業株の上場がほとんどされておらず、戦前の株式取引は「精算取引」もしくは「定期取引」と称された先物取引を中心に発展。主な取引銘柄であった取引所株も投機対象にされました。つまり戦前の日本の株式市場は、投機的であったことが特徴なのです。

9分利付外国公債
日本が1870年（明治3年）にロンドンで発行したポンド建ての外債で、日本で最初の国債とされている。

債権国
対外債権（他国から受け取る金額）が債務（他国に支払う金額）を上回っている国。

精算取引
決済期日に実物と代金の受け渡しを行うことで決済もできるが、それまでに反対売買を行い、その差金の授受によって決済できる取引手法。

定期取引
あらかじめ受け渡しの期日を定め、その期日に取引の決済をする、もしくは、途中で反対売買をして差金で決済してもよいとする手法。

▶ 第1次世界大戦までの日本の証券市場

1870年

ロンドンで日本初の国債が発行される。その後、1878年に取引所が設立され、取引所株や銀行株が上場されたが、売買の大部分は公債だったため、取引は活発化せず。

1886年

1886年頃から鉄道業、紡績業を中心に多くの企業が急成長、または設立される時代に。結果として、日本市場における株式売買が活発化することになった。

1914年頃

第1次世界大戦をきっかけに重化学工業化が進み、財閥系企業を中心とした資本金500万円を超える大企業の設立が急増。

▶ 暗黒の木曜日でなにか起きた？

株でどんどん儲けるぞ！

1920年頃

農作物を中心に米国経済にゆとりが生まれたことで、市民のあいだで株取引がトレンドとなる。

1929年10月24日

売らないと資金がゼロになっちゃう！

ゼネラルモーターズ株価が80セントほど下落し、新聞で大々的に報道されたことから、投資家のあいだで不安が高まり株の売り注文が殺到。24日だけで、時価総額140億ドルもの資金が市場から引き上げられる。

日本はアメリカへ生糸の輸出をしていましたが、暗黒の木曜日をきっかけとしたアメリカの経済政策によって輸出国を失い大きな打撃受けました。

企業の倒産により、失業者も急増。アメリカ国内で失業者は約1,300万人、4人に1人が失業している状況になった。

投資家が資金を引き上げたことで、多くの企業が倒産に追い込まれる。連鎖的にほかの国へも波及した。

直接金融の担い手である証券業界

証券業界は「直接金融の担い手」といわれています。そもそも、直接金融とはどのようなしくみなのか、そして、間接金融との違いはなにかについて解説していきます。

直接金融ってなに？

　直接金融とは、「お金を借りたい人」と「お金を貸したい人」のあいだに第三者が存在しない取引のことです。株式や債券などが主な直接金融の商品になります。そしてお金を出す人を「投資家」と呼びます。

　直接金融における証券会社の役割は、企業や国・地方自治体などの株式や債券の発行体と、投資家を仲介すること。例えば、ある企業が資金調達をするために株式や債券を発行しようとしても、購入してくれる投資家を探すのは大変です。そこで、証券会社が企業から手数料をもらい、株式や債券の仲介・販売をするのです。

　なお、債券や株式を発行している企業が倒産した場合、投資家が出資したお金は全額返ってこない可能性があります。直接金融の場合、このリスクは投資家が負います。

日本では個人金融資産に占める間接金融の割合が高い

　預金者からお金を預かり、それを企業などに貸し付ける銀行預金などを「間接金融」といいます。預金者は銀行にお金を預け、銀行はそのお金を会社や他の人に貸し出します。銀行はお金を貸した会社や人から利息をもらい、そこから預金者に利息が支払われます。

　日本では、個人金融資産に占める預貯金の割合が、欧米諸国に比べて高い傾向にあります。日本の2020年6月末の家計金融資産1,883兆円のうち、現預貯金の比率は54.7％になっています。これに対し、米国は1割強、欧州は3割強に過ぎません。

　一方、株式や投資信託などのリスク資産の割合は、日本は1割強にとどまっています。米国5割弱、欧州3割弱には遠くおよび

預貯金
預けたお金に対して、銀行などの金融機関が定期的な利息の支払いと将来の元本の支払いを保証する金融商品。なお、銀行に預けたお金は預金と呼ばれ、ゆうちょ銀行に預けたお金は貯金と呼ばれる。

直接金融のしくみ

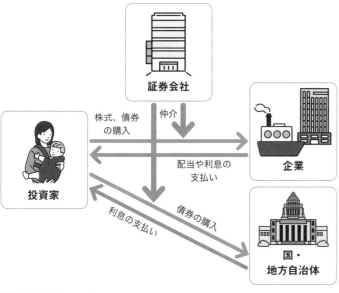

メリット
○預金に比べるとリターンも大きい。
○自分で投資先を選ぶことができる。

デメリット
○株式や債券を発行している企業が倒産した場合、投資家の出したお金は返ってこない。
○元本割れの可能性がある。

間接金融のしくみ

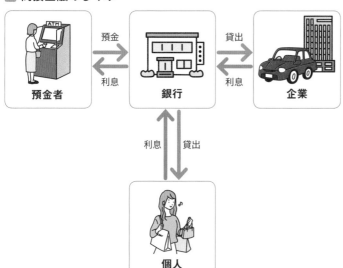

メリット
○貸倒れのリスクは銀行が負う。
○元本は守られる。

デメリット
○リターンが少ない。
○貸し出す先を預金者が選択できない。

ません。日本は、間接金融である預貯金の割合がまだ高く、金融庁が提唱する「貯蓄から資産形成へ」の流れの浸透には時間がかかりそうです。

高度経済成長とバブル崩壊
～失われた20年～

戦後の復興から高度経済成長を経て、日本はバブル経済に突入します。しかし、バブル崩壊後は「失われた20年」と呼ばれる未曾有の不況を迎えることになるのです。それまでの歴史を振り返ってみましょう。

📍 第1次高度成長期を振り返る

　1956年の経済白書で、「もはや戦後ではない」と記述されたことからわかるように、昭和30年代前半の日本経済は戦後復興を終え、「神武景気」「岩戸景気」に代表される第1次高度成長期を迎えました。

　しかし、昭和40年代は証券恐慌で幕を開けました。いわゆる「40年不況」が始まったのです。1965年5月28日に、日本政府は信用不安の発生を回避するため、日本銀行法第25条を初めて発動。山一證券に対して無担保無制限の「日銀特融」を行いました。

📍 いざなぎ景気からオイルショックへ

　1964～65年の40年不況が終わると、日本は戦後最長の好景気である「いざなぎ景気」へ突入します。1965年11月から1970年7月まで、57カ月もの長期にわたって景気が拡大し続けたのです。そして1968年に、日本は世界第2位の経済大国にのし上がりました。さらには1973年の第1次オイルショック、1979年の第2次オイルショックを乗り越え、日経平均株価は1981年8月に8,000円台の高値をつけました。

📍 バブル経済の誕生と崩壊

　1987年にアメリカでブラックマンデーを発端とする株価下落が発生、世界各国は不景気回避のための金融緩和を強いられました。そして景気回復過程にあった日本でも公定歩合が低金利のまま据え置かれた結果、日経平均株価は上昇を続けました。

　さらに財テクブームが起こり、日経平均株価はプラザ合意前（1985年9月末）の12,716円から89年末には38,915円まで上

神武景気
1954年12月～57年6月まで31カ月間続いた景気拡大局面のこと。

岩戸景気
1958年7月～61年12月まで続いた景気拡大局面のこと。

40年不況
1964年後半から1965年にかけておきた不況のこと。64年の東京オリンピック開催に伴うオリンピック景気等によって、証券市場も活性化したが、東京オリンピック終了とともに日本経済が低迷したことが発端。

日銀特融
金融機関が破綻の危機に直面したとき、預金者を混乱させないよう日銀法に基づいて行われる緊急融資。金融システムの安定化を図ることが目的。

日本の実質経済成長率

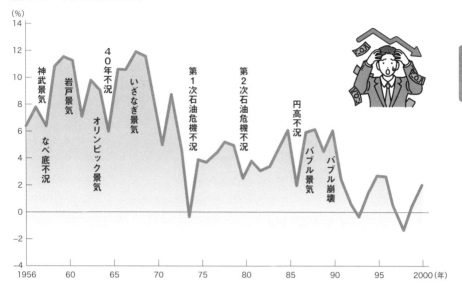

日経平均株価の動きと時代の出来事

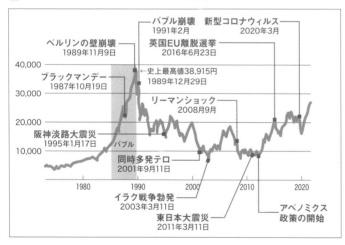

ブラックマンデー

1987年10月19日のNY株式市場大暴落の日で「暗黒の月曜日」とも呼ばれる（P.178参照）。日本では、株式市況の早い回復や各国の政策協調によって恐慌を招くことなく終わり、影響は最小限だった。

財テクブーム

財務テクノロジーの略。資金に余裕のある企業や個人が株式、債券、土地などに投資することでお金を増やすことが盛んになった。

昇し、市場最高値を更新。平成の時代はバブル絶頂期で幕を開けましたが、その後バブルは崩壊。20年以上にわたる低迷期に苦しむことになったのです。

Chapter2
04

金融ビッグバンと
ネット証券の躍進

金融ビッグバンによって、日本の金融・証券市場は大きく変わりました。特に手数料の自由化によりネット証券が誕生。既存の証券会社との手数料値下げ競争が始まったのです。

金融ビッグバンとは

金融ビッグバンとは、1996年11月に第2次橋本内閣が提唱して始まった日本の金融や証券市場制度の大改革。当時はバブル経済崩壊の爪あとが大きく残っていたため、三洋証券や山一證券、北海道拓殖銀行など大手金融機関でも経営破綻に追い込まれるような状況でした。

そこで行われたのが、フリー・フェア・グローバルの理念をもとに抜本的な金融市場の改革を進めていく金融ビッグバンです。主要な施策としては、「株式売買手数料の自由化」「銀行・証券・保険の相互参入の促進」「投資信託の銀行窓口解禁」などが実施されました。

証券市場に特に大きな影響を与えたのが、株式売買手数料の完全自由化です。その結果、多くのインターネット証券会社が誕生しました。

それまでの証券会社といえば全国に支店を設け、多くの営業担当者を抱える高コスト体質でした。しかし、インターネット証券は店舗を持たず営業担当者もいないので、コストを抑えられます。そのため、対面型証券会社に比べて株式売買委託手数料を大きく引き下げることができ、それを武器にどんどんシェアを拡大していきました。今では、ネット証券最大手SBI証券の2020年6月末の累計口座数は570万口座を突破し、野村證券の532万件を超えました。

そしてインターネット証券の誕生により国内株式市場に個人投資家も戻り、「デイトレーダー」と呼ばれる投資家が注目を集めるようになったのです。

三洋証券
東京都中央区に本社を設け、いわゆる「準大手証券」の一角を担っていたが、1997年11月3日経営破綻。

山一證券
業界4位の大手総合証券だったが、バブル崩壊により多額の損失を抱えた。これらの損失を処理せずにひた隠しにしたことで簿外債務が積み上がり、1997年11月24日に自主廃業した。

北海道拓殖銀行
全盛期は北海道を地盤としつつ、首都圏や東北、関西、香港、ニューヨーク、ロンドンなどにも支店を置いていたが、バブル崩壊による巨額の不良債権が発生し、1997年11月15日に経営破綻。都銀として初めての経営破綻である。

▶ 日本版金融ビッグバンがもたらした変化

1991年のバブル崩壊以降、低迷した日本経済を活性化するために、1996年11月に橋本元首相が金融システムの改革を発表。

目的

フリー	フェアー	グローバル
自由な市場	透明感のある信頼できる市場として、十分な情報提供とルールの明確化	国際的かつ開かれた市場の確立

影響

銀行、証券会社、保険会社の壁が取り払われ、事業参入が続いた。

銀行からの融資だけではなく、株式や社債を利用した資金調達が活発化。
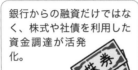

一般企業も個人も、気軽に外貨預金やFXといった自由な外貨サービスの取引ができるように。

手数料の自由化により、インターネットを中心とした安い手数料での株式売買が始まる。

ラップ口座が誕生し、証券会社はコンサルティングとしての役割を自由に担えるように。

1997年に証券総合口座が解禁。

▶ 5大ネット証券の口座数を比較

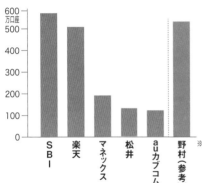

(縦軸：万口座 0〜600)

SBI / 楽天 / マネックス / 松井 / auカブコム / 野村(参考)

※楽天証券は2020年末時点。その他は6月末時点

業界最大手の野村證券の口座保有数に、ネット証券が肩を並べるようになってきているのがわかります。利便性や手数料の安さから、今後もネット証券の優位性は続くと思われます。

Chapter2
05

金融業界から見る
証券業界の市場規模

金融業界全体の市場規模は約88兆円。そのうち証券業界の市場規模は約4兆円なので、金融業界のなかでは小さい市場規模といえるでしょう。しかし、今後の金融業界における証券業界のウエイトは高まりそうです。

証券業界の市場規模

　金融業界全体での市場規模は約88兆円もあります。そのうち証券業界の市場規模は4兆円（2019年度決算の経常収益）です。一方で、証券業界と並び立つ銀行業界は約27兆円であり、金融業界での市場規模で見ると、証券業界は小さな業界であるといえるでしょう。

　しかし、今後は銀行と証券・保険・消費者金融などの「金融一元化」が進むとみられています。これまでの間接金融から直接金融へという時代の流れのなか、証券業界は主役になるポテンシャルを秘めているのです。今までは銀行が金融の中心でしたが、これからは銀行や保険を傘下に置く証券会社がでてきてもおかしくありません。証券業界は、今後の成長余地が非常に大きい業界といえるのです。

金融一元化
銀行や証券・保険など金融サービスのシームレス（垣根がなくなる）化のこと。

シェアを拡大しているのは、ネット証券

　証券会社は、主に「対面型」と「ネット型」の2つに区分できます。対面型は以前からある証券会社で、店頭での対面取引をメインとしています。一方のネット型は、インターネット専業の証券会社です。

　繰り返しになりますが、証券業界でシェアを拡大しているのは、ネット型の証券会社です。その反面、対面型の証券会社の業績は伸び悩んでいます。なぜなら、これまでの顧客であった投資家がネット型に移行したり、高齢化で資産を相続した家族が資金を引き上げたりするといった事態が起きているからです。また異業種からの新規参入も続いており、対面型の証券会社は今後も厳しい競争環境が続くと予想されています。

金融業界における証券会社の市場規模

（単位：兆円）

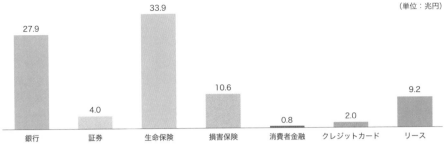

- 銀行 27.9
- 証券 4.0
- 生命保険 33.9
- 損害保険 10.6
- 消費者金融 0.8
- クレジットカード 2.0
- リース 9.2

出典：https://gyokai-search.com/3-kinyu.html#jump2

金融業界は上記7つの区分に分けられますが、規模的には「銀行」と「生命保険」がとても大きいです。貯蓄ではなく、投資に興味がある人が増えると、証券業界もどんどん成長していくでしょう。

証券会社会員数の推移

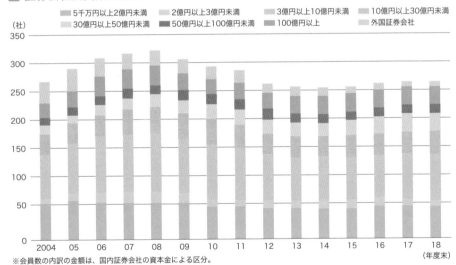

■5千万円以上2億円未満　■2億円以上3億円未満　■3億円以上10億円未満　■10億円以上30億円未満
■30億円以上50億円未満　■50億円以上100億円未満　■100億円以上　　　外国証券会社

（社）

※会員数の内訳の金額は、国内証券会社の資本金による区分。

出典：日本証券業協会

金融ビッグバンにより、多くの外国証券会社が日本に参入してきましたが、少子高齢化などの日本経済への先行き不安から撤退している企業が増えてきています。

Chapter2 06

証券業界の金融ビジネスと ほかの金融業界との違い

証券会社の業務は、主に企業の資金調達支援、投資家と証券市場をつなぐ仲介業務、投資家の資産運用です。そして証券業界は、金融のなかでも幅広い金融ビジネスを行えることが特徴。ほかの金融ビジネスと比較してみます。

証券ビジネスは守備範囲が広い

　　顧客が株式や債券などの金融商品を売買する際の仲介手数料や、自らが株式や債券などを運用したときの利益が、証券会社の収益の柱です。ただ、証券業界はほかの金融ビジネスと比べ、証券を中心に幅広いビジネスを行うことが可能です。

　　一方で、銀行をはじめ、保険やクレジットカードなどはその業態のみを行い、業態の枠からはみだした金融ビジネスをすることはほとんどありません。証券業界は「証券」と名のつくビジネスを軸に、どの業態にも属さないビジネスができるという特徴があるのです。

ほかの金融業界とのつながり

　　最大手の野村證券と一部の地場証券を除くと、主要証券会社の多くは銀行系列の証券会社で、銀行と証券会社が協力しあう「銀証連携」が進んでいます。これまでは銀行が金融業の中心でしたが、今後は、証券業界が銀行業界をまとめるのではないかという強気の声も聞かれるようになっています。

　　また、証券会社のなかには、従来は保険会社でないと販売できなかった終身保険や個人年金保険といった保険商品を取り扱っているところもあります。一方、投資信託を取り扱う生命保険会社もあり、競争が激化しています。

　　さらに、証券会社では、REIT（不動産投資信託）と呼ばれる商品の売買ができます。REITは、不動産を少額から取引でき、金融取引所に上場していて、いつでも売買できるという利便性があります。そのため、不動産投資をしたい個人投資家に大変人気がある商品になっています。

終身保険
保険の対象となる人（被保険者）が死亡あるいは高度障害状態になった時、保険受取人に死亡保険金が支払われる保険。保障される期間は一生涯で、貯蓄性のある保険ともいえる。

個人年金保険
公的年金や会社の企業年金などでは不足する部分を自分で用意する私的年金の商品。保険料を納めることで、契約時に定めた時期から、年金または一時金として保険金を受け取ることができる（P.118参照）。

REIT
投資家から集めた資金で、オフィスビルやマンション、商業施設など複数の不動産を取得し、その売買益や賃料収入を投資家に分配する商品（P.122参照）。

▶ 証券と他業界との連携が進む

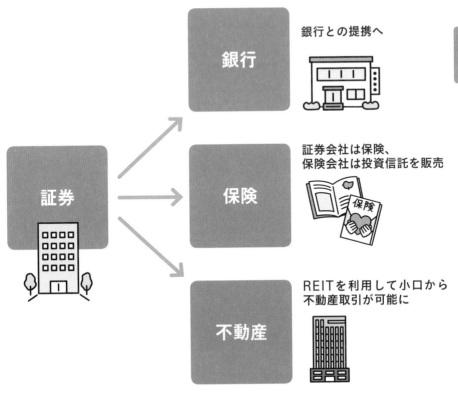

👍 ONE POINT

異業種との融合が進む金融業界

　金融業は証券会社だけでなく、銀行や保険会社なども主要プレーヤーです。そして、異なった業態のなかで、それぞれの業務内容のクロスオーバーが進んでいます。これまで、業態の違いは分けられてきましたが、垣根が低くなっているのです。投資信託などのリスク商品は、以前は証券会社だけが扱っていましたが、銀行でも投資信託や変額年金保険など、リスクのある金融商品を積極的に販売しています。金融業界のなかでの証券会社の強みは、証券業務が多岐にわたるという点です。ファンドを運用する投資信託会社や投資顧問会社、ベンチャー企業に投資するベンチャーキャピタルなど、証券ビジネスはまだまだ拡大傾向にあります。規模では銀行に劣りますが、証券ビジネスは今後も成長していくでしょう。

Chapter2
07

さまざまな証券会社の種類と特徴

証券会社は、主に大手証券や準大手証券などの「総合証券」のほか、投資銀行業務を専業で行う「外資系証券」やインターネット取引に特化した「ネット証券」に分類できます。それぞれの特徴を知っておきましょう。

📍 対面型証券会社の特徴とは

リテール
金融業界における「リテール」とは、一般個人や中小企業など小口客を個別に扱う業務を意味する。証券会社においては、個人投資家を対象にする業務を意味する。

ホールセール
企業や政府・自治体など大口取引を扱う業務。なお、機関投資家を専門にする会社を「ホールセール証券」という。

UBS
スイスに本拠を置く世界有数の金融持株会社の1つ。150年の歴史があり、日本では1960年代半ばに営業拠点を開設している。

　総合証券会社では、個人の証券売買仲介を行う「リテール」のほか、法人相手の「ホールセール」も取り扱っています。これらの対面型証券会社は、大手、準大手、中堅・地場証券と規模に応じて分類することができます。

　野村證券や大和証券などの大手総合証券では、リテールとホールセールを柱としながら、M&Aなどの投資銀行業務も行っています。大手総合証券は、独立系証券会社とメガバンク系証券会社に分けることができます。現在は、野村證券と大和証券が独立系証券会社として営業しており、強みは証券会社としての歴史が長いことです。

　SMBC日興証券、みずほ証券、三菱UFJ証券は銀行系証券会社で、メガバンクのグループ会社という立ち位置です。再編などにより、誕生してから10年程度しか経っていませんが、銀行と証券会社のあいだで、顧客の紹介や取り次ぎができることから、新規顧客の開拓が比較的容易です。

　大手総合証券に次ぐ規模を誇り、同じような業務を行っている証券会社は準大手証券と呼ばれます。

　中堅証券は、準大手証券に次ぐ規模の証券会社。海外展開はせずに、国内の特定の地域に注力してリテール営業を行っています。投資銀行業務を行っているところもありますが、大手総合証券よりも規模は小さいです。また、地元エリアを営業対象として活動する小規模の証券会社を、「地場証券」といいます。

　外資系証券は、UBSなどプライベートバンキング業務を行う一部の証券会社を除き、リテール業務を取り扱うことはなく、法人相手のホールセールや投資銀行業務を得意とする会社が多いの

▶ 分類ごとの代表的な証券会社

大手証券	野村證券	ネット証券	SBI証券
	大和証券		楽天証券
	SMBC日興証券		松井証券
	みずほ証券		マネックス証券
	三菱UFJ証券		auカブコム証券
準大手証券	岡三証券	外資系証券	ゴールドマン・サックス
	東海東京証券		UBS
中堅証券	岩井コスモ証券		BNPパリバ
	藍沢証券		クレディ・スイス

▶ リテールとホールセールの違い

リテール

個人投資家に対して、株式や債券を中心として資産運用の提案・相談を行う。

個人

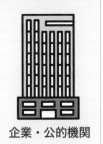

ホールセール

企業や公的機関、機関投資家などの顧客を相手に資金調達や運用、株式・債券等の引受け、M&A等を行う。

企業・公的機関

が特徴です。一般の個人投資家には知名度が低いものの、投資銀行業務では国内証券会社を上回る圧倒的な存在感を誇っています。

投資初心者でも使いやすいネット証券

　2000年以降、急速に発展したのが個人投資家をメインターゲットにしたネット証券です。対面型と比べて手数料が安いのが魅力の1つですが、日中は投資ができない人向けに、夜間取引ができる「私設取引」というサービスや、投資に使える資金が少ない人には、少額から始められる「ミニ株」などを提供したりして、投資初心者でも投資しやすい環境を整備しています。

Chapter2
08

国内における証券取引所の役割

証券取引所は、東京証券取引所、大阪取引所等の運営を通して、市場参加者がより安全で利便性の高い取引ができる場を提供しています。そして多くの投資家を呼び込むため、魅力ある金融商品の上場に力を注いでいます。

証券取引所の主な業務

証券取引所とは、株式や債券などの取引を行うための施設です。公正な市場価格の形成とともに、適正な流通を図る役割をはたしています。例えば、株式を売買したい投資家は、証券会社を通じて証券取引所に注文を出します。証券取引所にはこのような多くの注文が集められ、ルールに基づいて取引が成立するしくみになっています。

ただし、取引できるのは、証券取引所に上場している会社の証券に限られます。2021年2月現在、東京証券取引所には3,759銘柄が上場しています。一般的に知名度のある会社でも、上場していなければ取引することはできないのです。

国内の証券取引所

証券取引所は、日本全国に4カ所あります（札幌・東京・名古屋・福岡）。かつては東京・名古屋・大阪の3大市場と、札幌や福岡といった地方証券取引所に分かれていました。

また、各証券取引所にはベンチャー企業の株式を取引できる新興市場があります。通常の市場（一部・二部市場）よりも上場基準が緩和されているので、起業間もない企業でも株式を上場できるようになっています。

なお、現在4つに分かれている市場区分は、2022年4月に3つに再編される予定です。現在の東証一部は、「企業数が無駄に多い」、「成長力のある企業とそうでない企業との差が大きい」など、グローバルな投資家から見て本当に魅力的な市場なのかという指摘があります。そこで、上場基準を従来よりも厳しくすることで、上場企業の質の底上げを図るというのが再編の狙いです。

ベンチャー企業
明確な定義は存在しないが、革新的なアイデアや技術をもとにビジネスモデルを展開している比較的設立年数が若い企業を指す。

新興市場
ベンチャー企業が多く上場している東京証券取引所の「JASDAQ」や「Mothers」、名古屋証券取引所の「セントレックス」、札幌証券取引所の「アンビシャス」、福岡証券取引所の「Q-Board」の総称として使われる。

▶ 日本証券所グループ各市場の上場基準（一部抜粋）

項目		市場第一部	市場第二部	JASDAQ スタンダード	Mothers
流動性	株主数	800人以上	400人以上		150人以上
	流通株式数	20,000単位以上	2,000単位以上		1,000単位以上
	流通株式時価総額	100億円以上	10億円以上		5億円以上
	時価総額	250億円以上	–		–
ガバナンス	流通株式比率	35%以上	25%以上		25%以上
経営成績財務状況	利益の額または売上高	次のaまたはbに適合 a.最近2年間における経常利益の総額が25億円以上 b.最近1年間の売上高が100億円以上かつ上場日における時価総額が1,000億円以上	最近1年間における経常利益が1億円以上		–
その他	純資産の額	50億円以上	正		–
	事業継続年数	3年以上	3年以上		1年以上
	公募	–	–		500単位以上

▶ 2022年4月以降の新区分

2021年3月現在

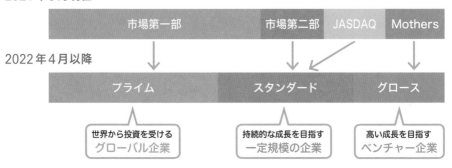

2022年4月以降

プライム → 世界から投資を受ける **グローバル企業**

スタンダード → 持続的な成長を目指す **一定規模の企業**

グロース → 高い成長を目指す **ベンチャー企業**

👍 ONE POINT

証券取引所の自主ルールの重要性

　株式の取引が成立するためには、株式を買いたい人と売りたい人が存在することが必要です。取引所は株式の注文を集めて競り（オークション）を行い、価格を決めて取引を成立させます。こうした価格を決める機能を「価格発見機能」といい、取引所の重要な役割の1つです。

　取引所では取引を安定的に行うため、さまざまな自主ルールや規制を定めています。取引を成立させるための価格決定の規則を定めるのはもちろんのこと、取引所に注文を出せるのは、取引に参加できる資格を有する証券会社に限定し、株式を上場できる基準を設けています。

Chapter2 09

証券会社が扱う「証券」って そもそもどういうもの？

証券会社が販売、取り扱っている証券とは、そもそもどのようなものなのでしょうか。「証券」の定義は法律上いくつか種類がありますが、本項目では、証券会社で取り扱われる証券について解説します。

証券とは

証券は法律上いくつか種類がありますが、証券会社で取り扱っているのは「有価証券」と呼ばれるものです。

有価証券とは、証券市場での取引の対象として金融商品取引法で規定されている証券のこと。これらは、企業や国の資金調達手段の1つとして利用されています。

国や地方、企業などが発行する債券や株券、投資信託の受益証券などが代表的な有価証券です。有価証券は一定の単位で取引できるため、個人や企業の投資対象となっているのです。有価証券を発行している主体と投資家のあいだで売買の仲介を行っているのが証券会社になります。

代表的な有価証券である「株券」

証券会社が扱う有価証券のなかで、最も一般的なのが「株券」です。株券とは、株式会社が資金を出してもらった人に対して発行する有価証券です。株券の発行は、その企業が事業を行うために必要な資金を集める方法の1つです。例えばお店を出して商品を販売する場合や、会社が工場を建てて製品を作るのに必要な資金を集める際に株券の発行が行われます。

本来、株券には保有者の情報が記載されているため、一目で誰が保有しているかわかるようになっています。ただし、2009年1月に「株券の電子化」が行われたので、所有者が証券そのものを保有することはほとんどありません。その代わり、株式等振替制度によって、証券保管振替機構が株主の権利についての事務を行っています。そのため、株券を目にすることはほとんどなくなりました。

受益証券
投資信託などの信託財産の管理・運用などの成果を受け取る権利である「信託受益権」を表示する有価証券。

株券の電子化
上場会社の株式等にかかる株券を廃止し、株主権の管理を証券保管振替機構や証券会社等の金融機関に開設された口座で電子的に行うこと。

証券保管振替機構
略称で「ほふり」とも呼ばれ、株券など有価証券の保管や受け渡しを簡素化することを目的として制定された機関。金融機関が預かっている株の保管や振替、口座振替による株の売買に伴う権利の移転などを行っている。

▶ 証券会社で取り扱う有価証券の種類

大きく分けると証券会社で取り扱っている商品は左図になります。ただし、それぞれの商品はより細かく分類があり、証券会社では、さまざまな商品を販売しています。

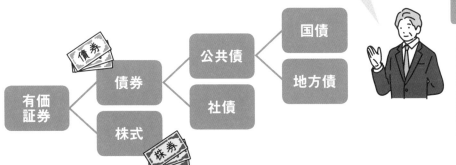

▶ 証券保管振替機構とその他関連企業との関わり

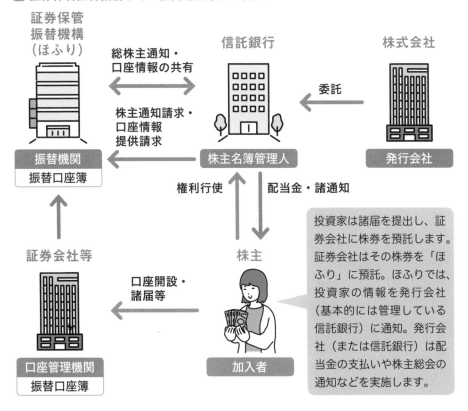

投資家は諸届を提出し、証券会社に株券を預託します。証券会社はその株券を「ほふり」に預託。ほふりでは、投資家の情報を発行会社（基本的には管理している信託銀行）に通知。発行会社（または信託銀行）は配当金の支払いや株主総会の通知などを実施します。

第2章　証券業界の基礎知識

証券の売買のしくみと証券会社の仕事

証券がなにか理解できたところで、具体的な証券の売買のしくみについて理解を深めましょう。まずは、代表的な有価証券である株式と債券の売買について見ていきましょう。

株式はどのように売買される？

株は企業が発行しますが、投資家が直接企業と取引するわけではなく、通常、証券取引所で売買されます。証券取引所での株の値段の決まり方は、基本的にモノの値段の決まり方と同じです。買いたい人が多ければ株価は高くなり、売りたい人が多くなれば株価は低くなるのです。株式を売買する場合、投資家は証券会社に注文を出します。証券会社は投資家から注文を集め、証券取引所に伝えて、注文が成立すれば証券会社が投資家に通知する役割を担っています。証券取引所では、買いたいという注文については一番高いもの、売りたいという注文については一番安いものを優先して取引を成立させます（価格優先の原則）。もし同じ値段の注文があった場合は、注文を早く出した人を優先して注文を成立させるようになっています（時間優先の原則）。

債券はどのように売買される？

新規に発行される債券（新発債）は購入できる期間が決まっており、その期間しか購入できません。また発行される金額も決まっているので、その金額に達した場合は販売終了になります。一方、すでに発行されている債券（既発債）の場合は購入期間が決まっておらず、いつでも買えますが、流通量に限りがあります。

株式は取引所で売買されますが、債券は取引所ではなく「店頭取引」が主流です。債券は同じ国や企業が発行しても、利率や償還時期が異なります。そのため、種類が多くなり、取引所で売買を成立させることが難しいので、証券会社と売買する店頭取引が中心になっているのです。債券取引において、証券会社は大きな役割を担っているのです。

店頭取引
証券取引所を通さずに、証券会社が自ら投資家の売買の相手となる取引。「相対取引」ともいう。

▶ 価格優先の原則とは

売り手	買い手

300円で **成立**

320円　310円　300円　　300円　290円　280円

価格優先の原則では、一番安い売りの注文と一番高い買い注文が優先されます。

▶ 時間優先の原則とは

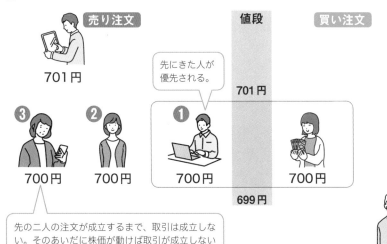

売り注文　　　　　　　　値段　　　　　買い注文

701円

先にきた人が優先される。

701円

❸　❷　❶

700円　700円　700円　　700円

699円

先の二人の注文が成立するまで、取引は成立しない。そのあいだに株価が動けば取引が成立しないこともある。

699円

時間優先の原則では、同じ値段の注文が先に注文を出した人が優先されます。

Chapter2

11

証券会社が担う４大業務

ブローキング（売買の取り次ぎ）業務、ディーリング（自己売買）業務、アンダーライティング（引受）業務、セリング（募集及び売り出し）業務が証券会社の４大業務です。それぞれの業務内容について知っておきましょう。

証券会社の４大業務ってなに？

　証券会社で扱う業務は、大きく４つに分けることができます。

　まず、「ブローキング業務」とは、投資家からの債券や株式の売買注文を流通市場に取り次ぐ仕事です（P.50参照）。

　「ディーリング業務」とは、投資家と同じように、証券会社が自己資金で株式や債券などの売買を行い利益を上げる仕事です。「アンダーライティング業務（引受）」とは、国や企業が株式や債券を発行するとき、証券会社が一般の投資家に販売することを目的に、その一部または全部を買い取ることです。もし買い取った有価証券が売れ残った場合は、証券会社が引き取ります。

　最後に「セリング業務（募集及び売り出し）」とは、新たに発行される証券やすでに発行された証券を、多くの投資家に販売する仕事です。アンダーライティング業務と似ていますが、売れ残った場合でも証券会社が証券を引き取る必要はありません。

　証券会社はブローキング業務がメインと考えている人もいるかもしれませんが、2019年3月期の受入手数料のうち委託手数料の比率は25％前後。そして、「その他の受入手数料」が約50％と一番多くなっています。これは、投資信託の運用会社から入る投信代行手数料による収益や、M&Aに関するアドバイスを行うフィナンシャルアドバイザリー料、さらにデリバティブ関連などが含まれます。FX取引や先物取引など証拠金取引の売買が増えていることも、「その他の受入手数料」が増えている要因となっています。ブローキング業務は収益の柱としての地位を低下させていますが、業務自体の規模は大きいです。現在、証券業界ではコミッション（手数料）からとフィー（作業報酬）で稼ぐ方向へのシフトを目指そうとしています（P.204参照）。

流通市場
発行された株式や債券が、投資家のあいだで取引される市場のこと。

運用会社
投資信託の運用の指図を行う会社のこと。そのほか、投資信託の開発や運用における売買の指示、投資判断などを行っている。投資信託会社、投信会社などとも呼ばれることもある（P.94参照）。

投信代行手数料
投資信託を購入した投資家に対し、運用報告書を送付したりファンドの分配金や解約金の支払いを代行したりする業務の手数料。

証券会社の4つの業務

① ブローキング業務

投資家から依頼された、債券や株式の売買注文を流通市場に取り次ぐ業務。

② ディーリング業務

証券会社が、自己資金で、自己の利益のために、株式や債券を売買する業務。

③ アンダーライティング業務

企業が株式や債券を発行する際に、発行企業に代わって有価証券を引き受ける業務。新発の株式や債券を買い取って投資家に販売し、売れ残った場合は引き取る。

④ セリング業務

新規公開の有価証券、または、すでに売り出し中の証券を投資家に販売する業務。売れ残った場合でも、証券会社が引き取るリスクを負わない。

証券業界の受入手数料の推移

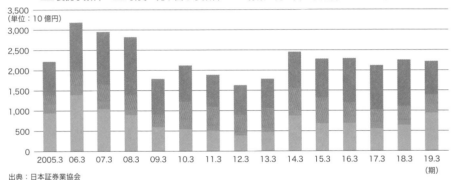

■ 委託手数料　■ 引受・売り出し手数料　■ 募集・売り出し手数料　■ その他の受入手数料

3,500
（単位：10億円）
3,000
2,500
2,000
1,500
1,000
500
0

2005.3　06.3　07.3　08.3　09.3　10.3　11.3　12.3　13.3　14.3　15.3　16.3　17.3　18.3　19.3
（期）

出典：日本証券業協会

👍 ONE POINT

証券業界は
無限のビジネスの可能性がある

　金融には、お金を通じて経済や産業を育てていく社会的役割があります。金融機関は私企業なので、利益を追求する必要性がありますが、公共性が強いビジネスという側面ももっています。

　証券会社は直接金融の担い手で、企業の資金調達を通じて企業や産業を育成する役割を果たしています。証券会社といえば株式売買のイメージが強いものの、ブローキング業務だけが証券ビジネスではありません。M&Aなどの投資銀行業務やディーリング業務などさまざまな業務を行うことで金融市場の活性化を図っています。より金融を広く捉え、大きなビジネスができるのが証券業界なのです。

Chapter2 12

証券業界における絶対のオキテ！金融商品取引法とは？

金融商品取引法は、債券や株式などの有価証券の発行や売買について、規制やルールを定めている法律です。公正な市場作りや顧客保護の観点からも、金融業界においては非常に重要な法律なので覚えておきましょう。

金融商品取引法によって顧客をトラブルから守る

金融ビッグバンによる金融分野の規制緩和により、投資環境は大きく変わりました。金融商品や取引手法の選択肢が広がった一方、複雑な金融商品が増え顧客トラブルも増加しています。そこで、金融商品を取引する際の利用者保護と、透明で公正な市場づくりを目指して成立したのが金融商品取引法です。もともとは1948年に「証券取引法」として制定された法律が、時代に合わせて2007年に改定されて現在の名称になりました。

金融商品取引法は、商品ごとに異なっていた法体系を横断的にまとめ、規制のすき間に落ちる金融商品をなくすことが目的です。また金融商品を取り扱う業者は、すべて「金融商品取引業」と位置づけられ、内閣総理大臣に申請・登録しないと業務ができないことになりました。

証券取引法
1948年に制定された証券取引に関する基本法。金融商品取引法となっての変化は、有価証券の定義拡大、デリバティブ取引を原則として規制対象としたこと、規制対象を証券業以外にも広げたことの3点になる。

金融商品取引法に明示される禁止行為

金融商品取引法における販売や勧誘での規制には、主に「適合性の原則」「禁止行為」「書面交付義務」「損失補填の禁止」の4つがあります。

「適合性の原則」とは、投資家にあった商品を販売・勧誘することです。「禁止行為」については、不招請勧誘の禁止、再勧誘の禁止、断定的判断の提供の禁止、虚偽の説明の禁止などが明示されています。

「書面交付義務」とは、商品のリスクやコスト・しくみなどがわかるように記載した書面を投資家に交付することです。「損失補填の禁止」とは、株式などの取引によって生じた顧客の損失を証券会社が補填することを禁止するルールとなっています。

不招請勧誘の禁止
顧客が契約の要請をしていないのに、訪問や電話をして契約を勧誘する行為を禁止する。

▶ 金融業界全体で外貨建て保険の苦情が増加

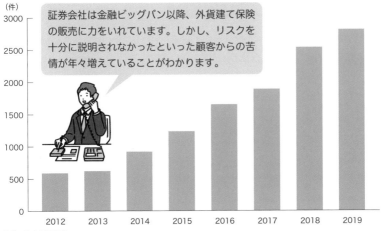

（件）

証券会社は金融ビッグバン以降、外貨建て保険の販売に力をいれています。しかし、リスクを十分に説明されなかったといった顧客からの苦情が年々増えていることがわかります。

出典：生命保険協会

▶ 金融商品取引法によって、多様化する金融商品に対応

規制法	金融商品
信託業法	・信託受益権
抵当証券法	・抵当証券
商品ファンド法	・商品ファンド
証券取引法	・国債
	・地方債
	・社債
	・株式
	・投資信託
	・有価証券デリバティブなど
金融先物取引法	・金融先物
	・外国為替証拠金取引など

投資家保護、公正な市場づくりを目的として、2007年に改定

規制法	金融商品
金融商品取引法	・有価証券
	・デリバティブ取引

▶ 金融商品取引法における販売や勧誘での規制

適合性の原則	書面交付義務
顧客の年齢や収入、リスク許容度など、さまざまな観点から見合った商品を販売・勧誘すること	商品のしくみ、リスク、コストがわかるように記載した書面を商品締結前後に必ず交付すること
禁止行為	損失補てんの禁止
不招請勧誘の禁止、再勧誘の禁止、断定的判断の提供の禁止、虚偽の説明の禁止	取引によって生じた顧客の損失の補てんを禁止

業界をまとめる日本証券業協会

日本証券業協会の役割ってなに？

日本証券業協会は1973年7月に設立され、わが国のすべての証券会社が加盟している業界団体です。証券会社および認可金融機関を協会員として組織された法人です。「有価証券の売買その他の取引を公正かつ円滑にし、投資家保護と合わせて証券業の健全な発展を図ること」を目的としています。

日本証券業協会は、金融商品取引法でいう「認可金融商品取引業協会」として、内閣総理大臣の認可を受けて設立されました。定款に基づき、「自主規制業務」、「金融商品取引等および市場の発展に資する業務」、「国際業務・国際交流」などの業務を行っています。

つまり日本証券業協会は、証券業発展の監視役と推進役を同時に行っているのです。ただ証券業界の健全な発展と投資家保護という点で目指すものは同じなので、利益相反にはなりません。

2021年2月時点の協会参加者は会員数（証券会社）が269社、特別会員数（証券会社以外の金融機関）が199機関、特定業務会員（金融商品取引業者）は17社となっています。

金融商品を正しく販売するための資格、証券外務員

証券会社や銀行・保険会社などあらゆる金融機関で証券業務を行う資格を有する人を「証券外務員」といいます。証券会社や金融機関で勤務する際には、「証券外務員資格」が必須です。

日本証券業協会では、外務員としての資質を確保するために、証券外務員試験を行っています。証券外務員試験は一般の人にも公開されているので、誰でも受験可能です。試験は定期的に実施されていますが、連続で不合格になると一定期間再受験をすることができません。一部の証券会社では入社前の段階で取得を義務づけているところもあります。

登録外務員数は近年、50万人前後で推移しています。証券業界を目指すなら、取得しておくとよいでしょう。

第 3 章

日本の
証券会社

2008年時点で、日本には322社もの証券会社がありました。しかし、長引く不況やリーマンショックなどにより、その数は減少し続け、2020年時点で269社の証券会社が国内で営業をしています。第3章では、国内でビジネスを展開する証券会社の特徴と業務内容を紹介しましょう。

Chapter3
01

証券会社の変遷

証券会社の始まりは、東京証券取引所の前身である東京株式取引所が設立された1878年頃だといわれています。戦後の復興から高度経済成長を経て、証券会社は大きく成長し、金融業界でも目立つ存在です。

戦後から高度成長、バブル期から平成不況へ

日本の証券市場は、戦後の復興から高度経済成長にかけて右肩上がりの成長を見せました。

その時代の日本経済と証券業界をけん引したのが、野村證券・大和証券・日興証券・山一證券の「4大証券会社」です。それに続く準大手・中堅・地場証券といった対面型の証券会社も発展しました。

しかし、バブル崩壊後の長引く景気低迷によって、証券業界では、生き残りをかけた吸収合併などの統廃合が盛んに行われるようになりました。

なお、現在、存在している最古の証券会社は、あかつき証券（旧：黒川木徳証券）であるといわれています。創業は1878年。なんと、100年以上の歴史があるのです。

あかつき証券
1878年に黒川幸七商店として大阪株式取引所の開設メンバーとなる。1977年に株式会社黒川証券と木徳証券株式会社が対等合併し、黒川木徳証券が誕生。2011年に商号をあかつき証券に変更した。

ネット証券の誕生

さらに業界全体が大きな変化を遂げたのが、1990年代の後半から始まった金融ビッグバンによる金融業の自由化です。異業種からの証券業への参入や、株式手数料の自由化が進んだことから、業界そのものが大きく変化しました。かつての4大証券のうち山一證券は自主廃業に追い込まれ、その前後から台頭してきたのがインターネットを使って株式の取引を行う「ネット証券会社」です。

現在では個人取引に占めるネット取引のシェアは8割を超えています。ネット証券が個人の株式取引のシェアを拡大する一方で、方向性が定まらずに苦戦しているのが、従来から存在している対面型の証券会社なのです。

▶ 戦後から金融ビッグバンまで

1878年頃

証券会社の誕生

戦後～行動経済成長

**野村證券・大和証券・日興証券・山一證券の
4大証券の時代**

バブル崩壊～平成不況

**1995年8月に兵庫銀行が経営破綻。以降、山一證券、
三洋証券などの大手金融機関の破綻が相次いだ**

1996年以降

**金融ビッグバンの導入と推進が始まる。
金融自由化によりネット証券が台頭**

👍 ONE POINT

現在の大手総合証券も
合併を繰り返してきた

　SMBC日興証券の前身は、日興證券。山一證券破綻後は、野村證券・大和証券とともに日本3大証券会社として、長く活躍していました。しかし、平成の証券不況を機にシティグループ、その次は三井フィナンシャルグループの傘下に入るなど、2000年以降は事業譲渡や合併を繰り返しています。

　みずほ証券は、バブル崩壊の影響で大量の不良債権を抱えた第一勧業銀行・富士銀行・日本興業銀行が2000年に合併（みずほホールディングス：みずほフィナンシャルグループの前身）した影響を受けて、系列の証券会社が合併して誕生した証券会社です。2009年に新光証券に吸収合併され、新光証券がみずほ証券と改称して、現在のみずほ証券になりました。

　証券会社のホームページの沿革を見てみると、多くの証券会社が合併や事業譲渡をしていることがわかります。今後もその流れは続いていくと思われます。証券業界で働く人は、こういった変化に対応していく術を身につける必要があるでしょう。

第3章 日本の証券会社

Chapter3
02

証券会社の時価総額と預かり資産ランキング

国内証券では、野村、大和、みずほ、三菱UFJ、SMBC日興証券が大手5社と呼ばれています。しかし、近年大きく業績を伸ばしているネット証券も、時価総額や預かり資産を大きく増やしています。

時価総額トップは野村ホールディングス

時価総額
株価×発行済株式数で計算される。その企業の規模を示す指標となる。

時価総額トップは、右表を見てわかるように「業界のガリバー」と称される野村ホールディングスです。ただし、右表の時価総額ランキングは、証券業をメインとしている企業のみ紹介しています。みずほ証券や三菱UFJ証券ホールディングス、SMBC日興証券などは、銀行系なので含まれていません。

1位の野村ホールディングスは、全国にある証券会社の口座数のうち20.1%（2020年9月）を保有している証券業界の最大手です。国内での地位を強固にするだけでなく、海外でのシェア拡大を目指しています。

大和証券グループは、証券業界2位。預かり資産重視のビジネスモデルを目指しつつ、手数料ビジネスからの脱却を急いでいます。

3位は、ネット証券大手のSBI証券を有するSBIホールディングスです。SBIホールディングスは、企業再生やベンチャーキャピタル業務を行っているのも特徴です。

ベンチャーキャピタル業務
将来性のある新興企業や優れた技術をもっているが未上場な企業などに対して出資を行う業務。

預かり資産ランキングトップも野村ホールディングス

預かり資産
証券会社が顧客から預かっている「現金・株式・債券・投資信託」などの資産の評価額。

預かり資産の総額は、金融機関の顧客規模を表す指標になります。

預かり資産では、野村ホールディングを筆頭に大手5社が圧倒的な規模を誇ります。ネット証券大手のSBI証券でも13兆円（6位）に過ぎません。

ネット証券は人件費などが対面型の証券会社に比べてかからないため利益を大きく伸ばしていますが、預かり資産を伸ばす余地はまだまだありそうです。若いセルフ層を中心とした、新規資金の預け入れが増えるかどうかがポイントになるでしょう。

▶ 証券会社の時価総額ランキング（2021年3月8日現在）

証券会社名	区分	時価総額 （百万円）
野村ホールディングス	大手証券	2,079,180
大和証券グループ本社	大手証券	914,265
SBIホールディングス	ネット証券	728,901
松井証券	ネット証券	239,819
マネックスグループ	ネット証券	213,673
GMO フィナンシャルグループ	ネット証券	100,812
東海東京フィナンシャル・ ホールディングス	準大手証券	97,197
岡三証券グループ	準大手証券	87,033
藍澤證券	中堅証券	43,295
丸三証券	中堅証券	41,854

出典：https://www.nikkei.com/nkd/industry/stocklist/?n_m_code=122

時価総額は、その企業の規模を示す指標として使われています。野村ホールディングスが圧倒的なのが見て取れますね。

▶ 証券会社の預かり資産ランキング（2020年度）

証券会社名	区分	預かり資産 （兆円）
野村ホールディングス	大手証券	104.0
大和証券グループ本社	大手証券	59.8
SMBC日興証券	大手証券	54.8
みずほ証券	大手証券	42.3
三菱UFJ証券 ホールディングス	大手証券	36.5
SBI証券	ネット証券	12.9
楽天証券	ネット証券	6.6
東海東京フィナンシャル・ ホールディングス	準大手証券	5.7
岡三証券グループ	準大手証券	4.7
マネックス証券	ネット証券	3.7
松井証券	ネット証券	2.1

出典：会社四季報業界地図2021年度版

預かり資産が多い＝証券会社の営業マンが動かせる資金が多いということです。こちらも野村ホールディングスが圧倒的です。

Chapter3
03

証券業界で
金融コングロマリット化が進む

以前は、銀行・証券・保険など金融機関の垣根は高いものとされていました。
しかし1990年代以降、「金融コングロマリット化」が進んでいます。まずは、
金融コングロマリットの特徴を理解しましょう。

📍 金融コングロマリットってなに？

金融持株会社
銀行、証券会社、保険会社など、金融業を行う会社の株式を保有し、管理・運営することを事業とする会社。金融持株会社を設立することで、傘下の企業は兄弟関係になり、経営の効率化につながるとされる。

　金融コングロマリットとは、銀行や証券、保険など少なくとも2つ以上の異なる金融事業の企業から構成されるグループのことです。金融持株会社のもと、銀行や証券、保険などが子会社として連なる形態が多くなります。

　かつては、「利益相反行為」や「抱き合わせ販売行為」などが発生する可能性を懸念し、銀行・証券・保険のあいだには垣根がありましたが、1990年代以降は、金融コングロマリット化が進んでいます。

📍 金融業界でコングロマリット化が進む理由

利益相反行為
利益の対立する双方の立場を代理もしくは代表している状態。金融コングロマリットのように、複数の業務を同時に営んでいる場合は、利益相反が起こりやすいとされる。

　その背景にあるのが、経済のグローバル化や規制緩和、金融技術やITの発達などです。金融の競争が激化するなか、銀行や証券それぞれの形態だけでは、国際的な競争に勝てない時代になったのです。

　また、幅広い金融商品を一括して取扱うことで、売上増加やブランド力の向上、グループ全体としての収益増加が狙えます。

　今後は銀行や証券だけでなく、保険・投資信託・リース業など1つの金融グループで、総合的に金融を取り扱う時代になっていくでしょう。大手5大証券でも、SMBC日興証券やみずほ証券、三菱UFJ証券ホールディングスはメガバンクの傘下に入っています。

抱き合わせ販売行為
顧客が求める商品またはサービスの提供を、ほかの商品やサービスの購入と一緒にすること。金融コングロマリットの場合、グループ会社への契約誘導につながりやすい。

　このような金融グループの証券会社に就職した場合、そのほかのグループ会社への異動もありえます。今後は証券業だけではなく、金融全体のことを知っておくことが、証券マンにとって必須条件になるといえるでしょう。

▶ 金融コングロマリット化とは

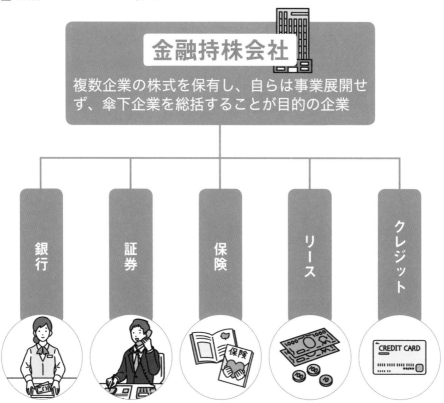

金融持株会社

複数企業の株式を保有し、自らは事業展開せず、傘下企業を総括することが目的の企業

- 銀行
- 証券
- 保険
- リース
- クレジット

▶ 金融コングロマリットのメリット・デメリット

メリット	デメリット
店舗や従業員、システム、ブランドといった資源を共同利用することで、固定費を節約	利益相反行為や抱き合せ販売行為の発生が懸念される
収益のシナジー効果（相乗効果）が見込める	情報開示が不十分になりやすい
多種類の金融業務を行うことによる、グループ全体のリスクの分散	組織の複雑化によるコストの増加
グループ間で協力し合うことによる革新的な商品の開発	グループの他部門の破綻や経営難の影響を受ける

国際的な競争力を高めるため、グループ化のメリットを優先させるようになったのです。

証券業界をけん引する
国内5大証券

国内証券では、野村證券、大和証券、SMBC日興証券、みずほ証券、三菱UFJ証券が「国内5大証券」と呼ばれています。国内の証券業界をけん引する大手証券の特徴を知っておきましょう。

大手証券の特徴

大手証券とはトップクラスの規模を誇る証券会社のことです。P.12でも解説しましたが、国内では野村ホールディングス、大和証券グループ、SMBC日興証券、みずほ証券、三菱UFJ証券ホールディングスの5社が5大証券と呼ばれています。

大手証券の特徴は、取り扱っている業務が多いこと。リテール（個人・中小企業向け業務）から国内外の機関投資家、金融法人、事業法人向けのホールセール業務、そして投資銀行業務まで幅広く対応しています。

大手証券は全国各地に営業拠点をもつだけでなく、海外にも拠点があります。

「証券界のガリバー」と呼ばれる野村ホールディングス

「大手5大証券」と呼ばれていますが、そのなかでも圧倒的な規模を誇っているのが野村ホールディングスです。国内最大の顧客資産残高を保有しているだけでなく、世界30カ国・地域を超える海外拠点を中心としたグローバル・ネットワークをもっていることも特徴です。

近年、特に力を入れているのが、海外の富裕層をターゲットにしたプライベートバンキング業務です。野村ホールディングスは、海外の富裕層向けのプライベートバンキング業務の運用資産を2025年までに現在の100億ドルから350億ドル超に増やすことを目指しています。

そのために、2020末頃から2021年1月にかけて、香港とシンガポールで20人超のプライベートバンカーと投資アドバイザーを採用しました。

富裕層
野村総合研究所の調べ（2017年）では、日本の金融資産1億円以上5億円未満の富裕層は118.3万世帯、5億円以上の超富裕層は8.4万世帯となっている。

▶ 5大証券の2020年3月期業績

（単位：億円）

	純営業収益	最終損益
野村ホールディングス	12,878	2,169
大和証券グループ	4,262	603
三菱UFJ証券	3,221	211
SMBC日興証券	3,160	392
みずほ証券	2,820	214

※野村ホールディングスは米国会計基準

新型コロナウイルスの感染拡大に伴う影響に対抗する手段として、資金調達やM&Aが活発化していることや、法人、個人問わず投資意欲が高まっていることは証券業界の追い風になっています。

▶ 野村グループの海外拠点

欧州
2015年に開設50周年を迎えたロンドンを中核とし、17カ国に拠点がある。株式・債券のトレーディング（売買）や資金調達・M&Aアドバイザリーなど、ホールセールビジネスのサービスを提供している。
従業員数：**2,700人**

米州
米州地域では、ホールセールビジネスを行う9拠点に加えて、ハイ・イールド債運用に強みをもつ運用会社などを保有。世界最大の市場規模を有する米州において、マーケット・シェアのさらなる拡大を狙っている。
従業員数：**2,100人**

アジア・オセアニア
日本を除くアジア地域では、ホールセールとアセット・マネジメントに加え、海外で唯一、個人の富裕層を対象とした総合的な資産管理サービスを展開。高い経済成長が見込まれるアジアでは、12の国と地域においてグループ独自のビジネスモデルを構築。
従業員数：**6,100人**

現在、国内準大手証券は
2社のみとなっている

大手証券に次ぐ規模を誇り、全国各地に営業拠点をもっているのが「準大手証券」です。幅広い金融商品を取り扱っていますが、リテール業務をメインに充実した投資サービスがビジネスの中心です。

岡三証券の特徴

独立系
銀行や財閥に属さない証券会社。

　大手5社に次ぐ「準大手証券」と呼ばれるのが、独立系の証券会社である岡三証券と東海東京証券の2社です。純営業収益は600億円前後と、大手5社と1桁違います。

　岡三証券は三重県を拠点とした老舗の証券会社です。昔ながらの対面型の営業手法を大切にしており、リテール業務が収益の柱になっています。

　さらに、岡三証券はグループ会社にネット証券である岡三オンライン証券があることから、オンライン取引での強みもあります。

東海東京証券の特徴

　東海東京証券フィナンシャル・ホールディングスは中部地区においては、最大のネットワークをもっています。オンラインでも24時間チャット機能などいち早く導入するなど、岡三証券と同様に、リテール営業を重視しています。また、ほかの証券会社と比較しても新規公開株（IPO）の扱いに強いといわれています。オンライントレードで、新規公開株を率先して扱うようになったのも、東海東京証券フィナンシャル・ホールディングスです。

新規公開株
未上場の企業が自社株式を取引所に上場する際に、最初に売り出す株式のこと（P.86参照）。

準大手証券も金融コングロマリット化が進む

　準大手証券会社として初めて、持株会社を中心とした証券グループを構築したのは岡三証券です。このように、準大手証券会社も金融持ち株会社をグループの中核とした金融コングロマリット化が進んでいます。国内株式はもちろん、投資信託や海外株式、あるいは保険など金融商品の品揃えで勝負し、主戦場であるリテールで大手証券に負けない戦いをしています。

▶ 準大手証券会社の2020年3月期業績

(単位：億円)

	純営業収益	最終損益
岡三証券	640	36
東海東京証券フィナンシャル・ホールディングス	597	27

準大手証券はリテール業務がメインです。商品の品揃えで勝負しています。

▶ 準大手証券も金融コングロマリット化が進む（岡三証券の場合）

持株会社
株式会社
岡三証券グループ

証券ビジネス
・岡三証券株式会社
・岡三オンライン証券株式会社
・岡三にいがた証券株式会社
・三晃証券株式会社
・三縁証券株式会社
・岡三国際（亜洲）有限公司

アセット・マネジメント・ビジネス
・岡三アセットマネジメント株式会社
・岡三キャピタルパートナーズ株式会社

その他関連ビジネス
・岡三ビジネスサービス株式会社
・岡三情報システム株式会社

Chapter3 06

個人投資家相手に営業する 中堅・地場証券

準大手証券に次ぐ規模の証券会社として「中堅証券」があります。また、主に地元エリアの個人投資家を営業対象として活動する小規模な証券会社を、「地場証券」といいます。

中堅証券の特徴

1章の3節で説明したように、地場証券とは、主に個人投資家を対象とし、地元エリアを中心に活動している証券会社のことです。それより規模の大きい中堅証券と呼ばれるのは、右図で紹介する7社です。純営業収益は数十億円から200億円くらいです。これらの証券会社はリテール重視ですが、ブローカー業務からアンダーライティング（引受）業務まで幅広く証券業務を展開しています。

ただ、大手や準大手証券よりも地域密着型の営業手法をとっているのが特徴です。そのため、転勤などが少なく、数十年単位で顧客を担当できるのも中堅証券の強みです。

中堅・地場証券は生き残りを模索している

中堅・地場証券は地域密着型の営業活動を展開していますが、インターネット証券との競争や顧客の高齢化により、業務転換や地方銀行の傘下入りをして営業体制の存続を図る企業もでてきています。中堅・地場証券は株式の売買手数料が主な収益源ですが、現在は、それだけに頼ることが困難なため、アンダーライティング業務から得られる引受手数料を増やそうとしています。しかし、大手証券に比べて、収益内の割合は小さくなっています。なぜなら、引き受けする証券会社には、それなりの資金力や販売能力が求められるからです。そこで大手や準大手にはない品揃えを用意したり、投資アドバイザリー業務に特化する、あるいは、銀行との連携を強めた地域密着サービスを用いて、強みであるリテール業務の顧客基盤を拡大しようとしています。

地方銀行
各都道府県に本店があり、各地方を中心に営業を展開している銀行のこと。小口の取引が主体で、地元の中小企業や個人を取引対象とする地域に密着した営業を行っている。

▶ 中堅証券の2020年3月期業績

（単位：億円）

	純営業収益	最終損益
岩井コスモ証券	185	27
いちよし証券	172	−7
丸三証券	163	7
藍沢証券	140	9
水戸証券	118	7
東洋証券	96	−6
極東証券	36	−5

中堅証券は、店舗数が少ないため全国転勤があまりないのが特徴です。そのため、顧客と長く寄り添う、地域に密着したリテール業務を得意としています。しかし、少子高齢化の影響やネット証券の台頭により、苦戦を強いられています。

▶ 中堅証券の特徴や強み

いちよし証券
近畿地方、関東圏を中心として営業。個人の金融資産の安定的な成長を求めるための企業独自の原則「いちよし基準」を遵守して金融商品の品揃えを行っている。

藍沢証券
関東をメイン拠点としていた老舗の旧藍澤證券に関西の平岡証券が合併して誕生。アジア株のパイオニアとして香港、韓国、台湾の3市場の取り扱いを2000年8月に開始。

丸三証券
関東をメイン拠点として営業。明治42年12月東京・兜町で、丸三商店として証券会社をスタートさせた老舗の企業。

東洋証券
中国地方をメイン拠点として営業。相続サポート体制が充実しており、従業員の約9割が相続診断士の資格を取得している。

岩井コスモ証券
近畿地方をメイン拠点として営業。そのほか、関東・東海・北陸地域・中国・九州地域にも店舗を保有。

極東証券
関東をメイン拠点として、そのほか愛知県、大阪府にも店舗を保有（計9店舗）。ほぼ対面営業のみとするポリシーをもっている。

水戸証券
名前の通り、茨城県の水戸市が発祥地。茨城県を中心に関東メインで営業している独立系の証券会社。

Chapter3
07

シェアを拡大し続けている
ネット専業証券

ネット専業証券は、パソコンやスマホなどでいつでも取引できる自由度の高さや、安い手数料を武器にシェアを拡大しています。メインの顧客はセルフ層です。

ネット専業証券の特徴

　ネット専業証券とは、基本的に店舗をもたずにインターネット上で株式などを取引する証券会社のことです。

　対面型の証券会社では、顧客が電話をかけて営業マンにつながるまでのあいだに、株価が大きく動いてしまうケースも少なくありません。しかし、ネット専業証券ならパソコンやスマホから瞬時に発注できるので、よりタイムリーな取引が可能です。

それぞれのネット専業証券会社ごとの特徴

　ネット専業証券をけん引しているのはSBI証券です。口座数、預り資産残高、株式売買委託代金のそれぞれにおいてトップで、純営業収益も大手5社に並ぶまでになっています。

　楽天証券は、楽天ポイントを投資資金に回すことが可能で、投資した金額に応じて楽天ポイントが付与されるといったメリットがあります。また、楽天銀行と楽天証券を連携させると、普通預金の金利が優遇されるなどのグループ間の特典が豊富です。

　松井証券は、株式及び投資信託の移管手数料負担サービスや信託報酬の一部を投資家に現金で還元する日本初のサービス「投信毎月現金還元サービス」を導入しています。

　マネックスグループは、ネット専業証券として初めてIPOの取り扱いを開始。さらに、米国株や中国株、新興国ファンド、海外ETF、FXなど海外へ投資する商品が多いのも特徴です。

　auカブコム証券は、三菱UFJ証券のグループ会社です。ネット証券の最も重要なインフラ資源はシステムと位置づけ、バックシステムからフロントシステムまですべてを内製化している唯一のネット専業証券です。

▶ ネット専業証券の2020年3月期業績

(単位:億円)

	純営業収益	最終損益
SBIホールディングス	3,680	374
楽天証券	565	70
松井証券	532	30
マネックスグループ	223	61
auカブコム証券	156	15

※SBIとマネックスは国際会計基準

対面営業を中心に営業する証券会社は、顧客の年齢層が高くなりがちですが、ネット専業証券は若年の顧客層を中心にシェアを拡大しています。投資家が増えるほど、ネット専業証券の成長の余地があるといえるでしょう。

▶ ネット専業証券なら営業担当を介さずに取引できる

対面型・電話での取引注文

売買を指示　→　取引所に発注　→

投資家　　　**営業担当**　　　**取引所**

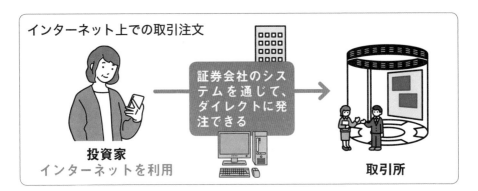

インターネット上での取引注文

証券会社のシステムを通じて、ダイレクトに発注できる

投資家
インターネットを利用　　　**取引所**

投資銀行業務で存在感を発揮する

プライベートバンキングに力を入れ始めた外資系証券

ホールセール業務や投資銀行業務で存在感をみせるのが外資系証券です。「高給」「実力主義」のイメージがありますが、実際はどうなのでしょうか。外資系証券の特徴について知っておきましょう。

外資系証券の特徴

　外資系証券とは、日本に本社（本店）を置く証券会社のうち、外国企業、あるいは外国人が一定以上の株式を所有している証券会社のことです。ただし、株式の保有比率は特に規定されていません。

　外資系証券は主に、アメリカに母体をもつアメリカ系（米国系）、欧州に母体を持つ欧州系に分かれています。国内にあるアメリカ系では、モルガン・スタンレー証券、ゴールドマン・サックス証券、JPモルガン証券などが有名です。また欧州系ではクレディスイス証券、ソシエテ・ジェネラル証券などが日本で営業展開しています。

　外資系証券といえばM&A業務や法人顧客を相手にした、投資銀行業務をメインに行っているところが多いですが、そのなかでも、得意分野が異なります。たとえばモルガン・スタンレー証券はIPOや公募増資の分野に強く、ゴールドマン・サックス証券はM&Aで存在感を発揮しています。しかし、最近は富裕層をターゲットにしたプライベートバンキングに力を入れている外資系証券も増えています。

　投資銀行業務は得られる成果が大きいものの、結果の予測が難しいビジネスです。当たれば大きいものの、外れると損失も大きくなるハイリスク・ハイリターンの側面があり、安定した収益を得ることはできないのです。一方のプライベートバンキングは、預かり資産などに応じて手数料をもらえるので、手堅い金融ビジネスといえます。国内の証券会社と同じように、利幅は少なくても着実に利益を得られるビジネスに力を入れ始めているのです。

投資銀行業務
アメリカ政府によって定義されたinvestment bankingを指す。法人顧客を相手に、企業の資金調達サポートやM&Aをしたい企業に対してアドバイザーとしての役割を担って利益を上げる業務(P.140参照)。

▶ 外資系証券の2019年度の業績

(単位：億円)

	純営業収益	最終損益
モルガン・スタンレー MUFG証券	1,164	224
JPモルガン	948	174
ゴールドマン・サックス	906	46
シティグループ	789	57
BNPパリバ	718	82
バークレイズ	556	107.5
メリルリンチ日本証券	481	107.6
クレディスイス	402	23
ドイツ証券	375	79
ソシエテ・ジェネラル	364	3.0
UBS	265	−41

出典：https://www.bloomberg.co.jp/news/articles/2020-09-10/QGBSGODWLU6901

個人向けで少額から投資できる商品やサービスを提供している外資系証券はあまりありません。あくまでも一定の資産を保有している富裕層のみにターゲットを絞っています。

👍 ONE POINT

外資系証券は実力主義の世界？

アメリカ系の外資系証券は徹底した実力主義で、結果が出せなければ即解雇もありえます。しかし結果を出せば収入面で大きく優遇され、億単位の年収も夢ではありません。

一方の欧州系は、アメリカ系に比べるとやや安定雇用の傾向が強くなります。しかし欧州系でも、国内の証券会社より成果主義が強いことは間違いありません。

ただ2008年のリーマンショック以降は、国内証券会社や欧州系証券会社でも実力主義の傾向が強まっています。証券業界全体が成果主義の流れになってきているといえるでしょう。

デリバティブ取引をけん引する先物取引系証券会社

金融商品取引法（旧証券取引法）の改正で金融業界の垣根が低くなり、先物取引会社による証券業への参入が相次ぎました。そういった証券会社は、デリバティブ取引をけん引する存在になっていったのです。

デリバティブ取引を得意とする先物取引系証券会社

ネット専業証券はITにより個人の株式取引を身近なものにしましたが、先物取引系証券会社は、デリバティブ取引を活性化させたといえます。なぜなら先物取引系証券会社では、日経225先物や、FX（外国為替証拠金取引）などの証拠金取引をメインにしている会社が多いからです。

主な先物取引系証券会社

先物取引系証券会社では、FXやCFDなどに特化し、現物株を取り扱っていないところも多くなっています。代表的な先物取引系証券会社を知っておきましょう。

まずは、ひまわりホールディングスのグループ会社である、ひまわり証券。1998年に国内で初めての外国為替証拠金取引「マージンFX（現：ひまわりFX）を開始しました。2000年に証券業登録をし、現在ではくりっく株365（取引所CFD取引）とFXに特化した証券会社になっています。

次は、トレイダーズホールディングスのグループ会社のトレイダーズ証券です。FX取引に特化し、業界最狭水準のスプレッドと、さまざまなFX取引のサービスを顧客に提供することで、FX業界をけん引しています。

インヴァスト証券も注目です。ここは通常のFX取引のほか、トライオートFXを主体とした自動売買サービスが魅力です。またFXだけでなく、世界のETFに投資できる「トライオートETF」も取り扱っています。

個人投資家の投資ニーズが高まるにつれ、こういった企業の存在感は高まっていくと予想されています。

日経225先物
大阪取引所等に上場されている、日経平均株価を原資産とする株価指数先物取引。将来の日経平均株価を株式のように、現在の市場価格で売買することができる。

FX（外国為替証拠金取引）
Foreign exchangeの略（P.114参照）。

CFD
Contract for Differenceの略。有価証券などの受け渡しは行わず、その代わりに売買の価格差に値する金銭の授受のみにより差金決済をする取引。FXもCFDの一部。

トライオートFX
インヴァスト証券の主力サービス。設定済みの自動売買プログラムを選ぶだけで取引ができる点が特徴。

▶ 先物取引系証券会社の台頭

```
┌─────────────────────────┐        ┌─────────────────────────┐
│   1990年代後半           │        │   2000年代後半           │
│ 商品先物会社から証券業に │   →    │ FX、CFD、日経225先物取   │
│ 参入                     │        │ 引などをけん引する存在に │
└─────────────────────────┘        └─────────────────────────┘
```

▶ くりっく株365の特徴

ほぼ24時間、日本の祝日も売買することができる

値下がりを予想した「売り」からも取引可。「高く売って、安く買い戻す」という取引ができるため、株価指数の下降局面でも利益を狙うことができる

買い建玉を保有している場合、株価指数の構成銘柄に配当があれば、その都度、株価指数ベースでの配当相当額（証拠金ではなく、取引金額に応じて算出されるため、レバレッジがかかった金額）が付与される

海外の株価指数も円建てで投資できるため、外貨建て投資のような為替リスクがない

日経225やNYダウのほか、ドイツ、イギリスなどの代表的な株価指数に投資ができる

少ない投資資金でも、レバレッジをかけることで大きく利益が出る可能性がある

事前に預けた証拠金の額に対して、どれぐらいの金額を売買しているのかという取引倍率を「レバレッジ」といいます（P.108参照）。レバレッジをかけることで、証拠金の数倍から数十倍の金額を取引することができます。元本以上の投資をすることで、大きな利益を狙うことができますが、その一方で、大きな損失が発生する可能性もあるので要注意です。

Chapter3 10

ホールセール専業の証券会社も存在する

個人投資家への知名度は低いものの、業界内で圧倒的な存在感を誇っているホールセール専業の証券会社もあります。ホールセール専業とはどのような証券会社なのか、特徴や事業内容について知っておきましょう。

ホールセール専業の証券会社とは

ホールセールとは、大企業や地方自治体、官公庁など大口の顧客を対象にした金融取引のことです。大口預金や貸付け、為替取引だけでなく、証券化やM&A、自己売買などの投資銀行業務もホールセールに分類されることがあります。ホールセール専業の証券会社は、投資銀行業務全般を扱っている証券会社と、ある特定の分野に注力して金融ビジネスを行っている証券会社に分けることができます。

後者の例として、証券化ビジネスに特化しているところもあれば、SBIグループのジャパンネクスト証券のように、私設取引システム（PTS）を運営・提供している証券会社もあります。また、短資会社をホールセール専業証券に分類する場合もあります。

主なホールセール専業証券

ここでは、国内において有名な3つのホールセール専業証券の特徴を解説します。

新生銀行グループの新生証券は、証券化商品やファンドの販売、仕組債の組成・販売など総合投資銀行としての性格が強い証券会社です。

本社を東京都港区に置くみらい証券は、企業に対して価値向上のための成長資金の供給や資金調達の業務、株主構成に関するアドバイザリー業務などをしています。

セントラル投資グループのセントラル東短証券は、公社債の売買、日本国債等に関する業者間売買の仲介を行っています。このように、さまざまな部門に特化して営業しているのが、ホールセール専業証券の特徴です。

証券化
会社が持つ資産を証券という形に変えて資金調達を行うこと。資産を証券に変えて売却することから、資産の「証券化」といわれる。

私設取引システム（PTS）
PTS（Proprietary Trading System）とは独自のシステムで、証券取引所を通さずに株式の売買を可能にするサービス。また、証券取引所の取引時間外でも取引ができる。

短資会社
短期資金（主に1年以内）を取引するインターバンク市場で、資金の仲介や貸借を行う会社のこと。

仕組債
一般的な債券にはないスワップやオプションといったデリバティブを組み込んだ債券。

> ▶ ホールセール専業証券の業務

ホールセール専業証券

対象顧客	・大企業や官公庁などの大口投資家 ・投資信託会社、生命保険会社、信託銀行、政府系金融機関、年金基金機関などの機関投資家

業務内容	・大口預金や貸付 ・証券化やM&A、自己売買などの投資銀行業務

> ▶ 日本最大のPTS　Japannext PTS

取扱対象	東京証券取引所 （市場第一部、市場第二部、Mothers、JASDAQスタンダード、JASDAQグロース）
取引時間	デイタイム・セッション （8:20〜16:00） ナイトタイム・セッション （16:30〜23:59）
信用取引	○ （9:00〜11:30　12:30〜15:00）
夜間取引	○
値幅制限	東証に同じ
証券会社	SBI証券、楽天証券、松井証券、マネックス証券、auカブコム証券 （証券会社によって、取引時間や信用取引取り扱いの制限あり）

ジャパンネクスト証券が運営する「Japannext PTS」を利用すれば、証券取引所を通さずに、株式取引を行うことができます。また、夜間の取引にも対応しています。

増加する独立系
フィナンシャル・アドバイザー

金融商品仲介業者とは

金融商品仲介業とは、金融商品取引業者（証券会社）の委託を受けて「有価証券の売買等の媒介」「有価証券の募集もしくは売出しの取り扱い」を行う個人、または法人のことをいいます。

2003年の証券取引法改正により、金融商品取引業者以外でも「証券仲介業」を営むことができるようになりました。そして2007年9月の金融商品取引法の施行に伴い、証券仲介業は「金融商品仲介業」に名称が変更されます。

金融商品仲介業を営むためには、金融商品仲介業者として内閣総理大臣の登録を受け、日本証券業協会の外務員登録を受けることが必要です。

増えるIFA（独立系フィナンシャル・アドバイザー）

金融商品仲介業者の誕生により、独立・中立的な立場から資産運用のアドバイスを行う専門家であるIFA（Independent Financial Advisor）が増加しています。

IFA（独立系フィナンシャル・アドバイザー）とは、金融商品取引業者としての登録を受け、特定の証券会社などの組織には属さず働く外務員のことです。

IFAは金融機関から独立したアドバイザーとして、株や債券、投資信託などの金融商品の売買の仲介を行います。個人の資産運用の規模が大きい米国などにおいては、弁護士や医者と同じくらいステータスが高い職種とされています。

IFAは顧客の立場に立って、希望にあった金融商品の提案ができることが最大の特徴です。

本来すべての証券会社に属する証券マンがそのような姿勢でいるべきです。しかし、会社の方針で、特定の金融商品を顧客に勧誘することや、ノルマを達成するためにムリな提案をしてしまうケースも、残念ながらありえます。そこで、異動や会社の方針に捉われず、最も顧客のためになる提案ができるIFAを目指す証券マンも増えています。

第4章

証券会社の
ビジネスのしくみ

証券会社は投資家の注文を取引所に仲介して手数料を
稼いでいる会社。株を取引している人ならそう思うか
もしれませんが、実はそれだけではありません。第4
章では、多岐にわたる証券会社のビジネスとその業務
の内容を理解していきましょう。

Chapter4
01

証券会社の収益源

証券会社の主な収益源は委託手数料です。ただ、リテール部門の業績が伸び悩んでいることから、大手証券やネット証券はトレーディングの収益やその他の受入手数料を重視したビジネスモデルに変化しつつあります。

証券会社の主な収益は株式売買委託手数料

　証券会社の主な収益源の１つが、株式売買委託手数料（委託手数料）です。株式売買委託手数料とは、顧客（投資家）が証券会社に株式の売買を委託する際に支払う手数料のことです。なお、証券会社に支払う委託手数料は、各証券会社が独自に決めています。また、それら手数料は、取引金額や取扱商品、注文方法などによって細かく設定されています。

株式売買委託手数料以外の収益が増えている

　株式売買委託手数料が下がるなか、長年証券会社の収益の柱であった委託手数料の比率は低下し続けています。そのため、証券会社の収益源の中心は、自己資金で株式や債券を売買するトレーディングの収益や信用取引・FX関連の金利を内訳とする金融収益に変わってきました。

　右表のSBI証券の2019年3月期営業収益の構成比を見ると、株式売買の委託手数料は25％に過ぎず、最も収益を上げているのはFX関連の収益が好調だった金融収益の34.4％です。また、トレーディングの収益も22.6％と委託手数料に次ぐ規模になっています。

　分類の「その他」の内訳には、投資信託関連収益やラップ口座（P.124参照）のような安定収益が含まれています。特に、野村証券といった大手証券を中心に、預り資産の残高に連動して収益が得られるラップ口座の普及や促進の取り組みの成果が表れてきており、収益が拡大しつつあります。

　このように、大手証券やネット証券では、株式売買委託手数料に頼らない収益の多角化を進めています。

金融収益
金融収益は、信用取引の貸株料や信用金利が多くの割合を占めている。

貸株料
信用取引において、株式を売り建て（信用売り・空売りともいう）しているあいだに、借りている株式に対して必要な金利のこと。

▶ 主な証券会社の収益源

	手数料の収益源
委託手数料	・顧客の株式売買の仲介から得られる手数料
金融収益	・信用取引やFX関連の取引から生まれる貸株料や信用金利
引受・募集・売出手数料	・ホールセールや投資銀行業務（IPO業務）に関連する収益のうち、引受・売出手数料 ・M&Aなどのアドバイザリー手数料　など
トレーディング損益	・証券会社の自己資金で株式や債券を売買して得た差益
その他	・投資信託関連の収益（代行手数料など） ・ラップ口座などの預り資産の残高に連動した収益

▶ 主な証券会社の収益源の比率（2019年3月期）

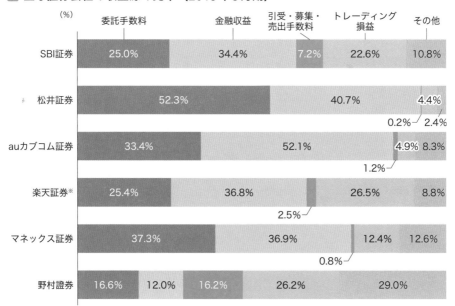

(%)　委託手数料　金融収益　引受・募集・売出手数料　トレーディング損益　その他

- SBI証券：25.0%　34.4%　7.2%　22.6%　10.8%
- 松井証券：52.3%　40.7%　0.2%　2.4%　4.4%
- auカブコム証券：33.4%　52.1%　1.2%　4.9%　8.3%
- 楽天証券※：25.4%　36.8%　2.5%　26.5%　8.8%
- マネックス証券：37.3%　36.9%　0.8%　12.4%　12.6%
- 野村證券：16.6%　12.0%　16.2%　26.2%　29.0%

出典：『株式会社SBI証券　決算説明資料〜2019年3月期通期〜』より
※楽天証券は2018年度より12月決算に変更しているため、2018年12月期と2019年12月期第1四半期の合計数値を記載している

Chapter4 02

顧客本意の業務運営が促す収益モデルの転換

かつては収益を上げるために、証券マンが、株式などの回転売買を顧客に提案していたこともあったようです。激しい批判や規制によって回転売買はなくなったといわれていますが、ノルマは依然として残っています。

回転売買の規制が強まる

証券会社の営業マンにはノルマ（収益目標）があります。それを達成するために、戦後の高度経済成長からバブル経済、そしてバブル崩壊後も証券営業といえば回転売買が当たり前でした。回転売買とは、顧客に頻繁に売買を繰り返させることをいいます。証券会社側から考えると、顧客が取引を頻繁にしたほうが委託手数料は上がります。そのため、顧客の金融商品に利益が出ていたら「ほかの商品に乗り換えてさらに高い収益を狙いましょう」といい、損失が出ていれば「ほかの金融商品で損失を取り戻しましょう」と、ほかの金融商品を取引するように勧誘するのが、当時の営業マンの営業手法だったのです。

しかし本来は、金融商品取引業者が回転売買をすると行政処分の対象になります。また、金融庁は「顧客本位の業務運営（フィデューシャリー・デューティー）」を金融機関に強く迫っています。これは金融機関の利益ではなく、顧客の利益を最優先に考えて行動するという意味です。2017年3月にはその原則も公表されています。

顧客本位の営業を進めるために、従業員の報酬・業績評価体系に、新規開拓や新規資金導入などの評価を取り入れる証券会社も増えてきています。また、コンサルティングも顧客のライフプランに寄り添う商品を長期的な目線で考えて、提案する方針に変わってきています。

しかし、頻繁な売買ができないとなると、どうしても委託手数料の収益が減ってしまいます。そこで、投資銀行業務に注力したり、顧客と長期的な付き合いができるラップ口座を促進したりと、収益モデルの転換を図る証券会社が増えているのです。

フィデューシャリー・デューティー
fiduciaryは受託者、dutyは責任の意味で、受託者責任または信任義務と訳される。金融においては、顧客の信託を受けた金融機関は、顧客の利益のために常に行動し、高い水準で注意義務と忠実義務を負うという考え方。英米法を手本にしている。

ライフプラン
自分や家族の年齢の経過と人生における大きなイベントを想定したうえで、必要になるお金や出費が多くなるタイミングを把握して、問題なく生活できるようにお金の計画を考えること。

▶ 証券会社が遵守すべき「顧客本位の業務運営」の内容

| 目的

金融事業者が
顧客本位の業務運営を
実現すること | **原則1　顧客本位の業務運営に関する方針の策定・公表等**

明確な業務運営の方針を定め、その内容を適宜見直すこと（ホームページなどを通じて公表している証券会社が多い） |

原則2　顧客の最善の利益の追求

高い専門性の知識と職業倫理を保持して、すべての顧客に対して誠実かつ公正に業務を行い、顧客にとって最善の利益を追求すること

原則3　利益相反の適切な管理

顧客の利益を不当に害することがないよう、証券会社自身やグループ各社における利益相反を適切に管理すること

原則4　手数料等の明確化

複雑化する金融商品の各種手数料（販売手数料・代理店手数料など）を、顧客に販売するまえに契約締結前交付書面や目論見書を通じて、説明・理解してもらうこと

原則5　重要な情報のわかりやすい提供

販売・推奨等をする商品については、商品性やリスクなどをわかりやすくパンフレットなどに記載し、それに基づいて顧客に説明・提案すること

原則6　顧客にふさわしいサービスの提供

顧客のニーズや意向・適性・取引経験・金融知識などを詳細に確認したうえで、顧客に最適な商品の提案や販売を行うこと

原則7　従業員に対する適切な動機づけの枠組み等

顧客にとって最善の利益を追求し、その公正な取扱いを実施するための評価体制を取り入れるなど、適切なガバナンス体系を整備すること

Chapter4
03

アンダーライティング業務 ってなに？

直接金融の担い手である証券会社は、資金を調達したい組織が証券を発行して、それが投資家に渡るまでをサポートすることが本質です。それを最初から最後まで責任をもって行うのがアンダーライティング業務です。

アンダーライティングとは

アンダーライティング（引受）業務とは、企業が債券や株式などの有価証券を発行する際に、これらを投資家に売り出すことを目的として証券会社が一部または全部を引き受ける業務のことです。発行元の企業から証券会社に手数料が入りますが、有価証券が売れ残った場合は、証券会社が責任をもってすべて引き取ることになるため、マイナスが発生することもあります。一方で、すでに売り出されている株券等を販売するセリング業務は、売り残ったとしても、証券会社が損をすることはありません。

引受責任と引受シンジケート団のしくみ

引受会社
引受会社のうち、発行会社と交渉する金融機関を「幹事会社」と呼ぶ。幹事会社が複数の場合は、「主幹事会社」が中心となって協議を行う。

アンダーライティング業務では、引受会社（証券会社）が発行される有価証券のすべてを取得し、取得していない部分を残さないことを保証する契約を結びます。これを「引受責任」といいます。この契約を結ぶことで、債券や株式などの発行会社は、資金調達が不成立に終わるリスクを回避でき、確実に有価証券を発行できるというメリットがあるのです。

主幹事
企業が株式や社債などの募集・売り出しを行う際に、複数の証券会社がそれらの有価証券を引受けることがある。その際に、主導的な役割を果たす証券会社のこと。

また、新たに発行される債券や株式などを、複数の引受会社（証券会社）が集まって引き受ける団体のことを「引受シンジケート団」といいます。引受の中心となる主幹事会社が主導して、各社の引受分担額や引受手数料の分配などの契約が事前に決められて、複数の証券会社が引き受けします。引受シンジケート団を組む目的は、株式や債券の募集時や売り出しでの販売力を強めることや、有価証券が多量に発行される場合に責任や売れ残りが出る危険性を分散させることがあります。

▶ アンダーライティング業務とセリング業務

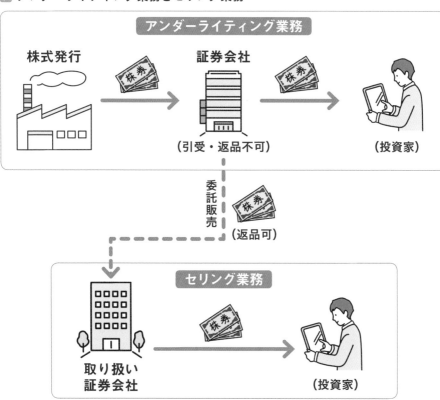

▶ 引受シンジケート団のメリット

Chapter4
04

株式公開（IPO）は証券会社の収入源の１つ

2013年のアベノミクス以降、そして新型コロナウイルスが猛威を振るった2020年度さえも、IPO市場は件数が減少することなく活況なままです。そもそも、IPOとはどういうものなのか、しくみを知っておきましょう。

📍 株式公開（IPO）とは

　IPOとはInitial Public Offeringの略で、（新規）株式公開ともいわれています。少数株主に限定されている未上場会社の株式を株式市場（東京証券取引所など）に上場し、市場での売買を可能にするものです。

　企業が上場する際は、企業の資本金などの規模にもよりますが、東京証券取引所の市場第一部、市場第二部、JASDAQ（ジャスダック）、Mothers（マザーズ）もしくは、規模が小さくなりますが、福岡などの地方証券取引所から上場する市場を選ぶことができます。企業にとっては、上場することで直接、金融市場からの資金調達が可能です。また、上場することで知名度が上がり、社会的な信用力を高められるというメリットがあります。

　ただし、投資家保護の観点から定期的なディスクロージャーが義務づけられています。そして証券会社にとっても、IPOはアンダーライティング業務での大きな収入源になっています。

　リーマンショック後の2009年度は、東京証券取引所に上場するIPO銘柄数はたったの17社でしたが、2012年末に誕生した安倍政権が進めたアベノミクスによる景気回復で、2014〜2019年度は毎年80社以上が上場しました。

　2019年度のIPO社数は86社（TOKYO PRO Marketなどを除く）あり、株価がついた85社のうち初値が公募価格を上回ったのは75社、同値だったのが1社、下回ったのは9社となりました。2020年度の3月〜4月は、新型コロナウィルスの影響によってIPOの延期が相次ぎました。しかし、各国の大規模な金融緩和が功を奏し、結果として2020年度のIPO件数は112件と2019年度を上回りました。

ディスクロージャー
企業が株主や債権者などに対し、経営内容などの情報を開示すること。有価証券報告書や財務諸表、アニュアルレポート（年次報告書）などがある。

アベノミクス
安倍政権が、日本のデフレ脱却と経済再生を目指した経済政策の総称。大胆な金融政策・機動的な財政政策・民間投資を喚起する成長戦略を「3本の矢」と呼び、日本経済の再生を目指した。

公募価格
IPOで新規に公開する株式が投資家に販売される価格で、「募集価格」とも呼ばれる。

▶ IPOのしくみと流れ

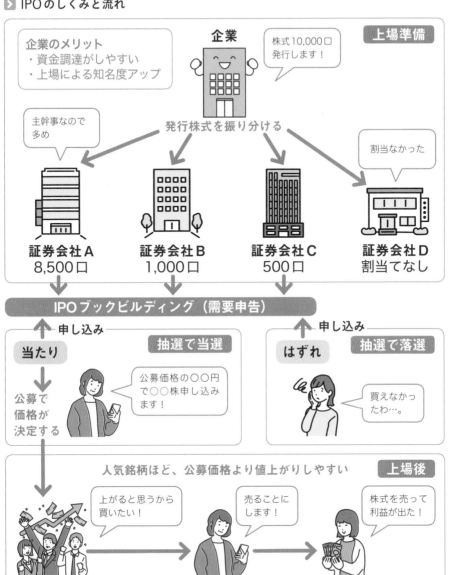

上場準備

企業

株式10,000口
発行します！

企業のメリット
・資金調達がしやすい
・上場による知名度アップ

主幹事なので
多め

発行株式を振り分ける

割当なかった

証券会社A	証券会社B	証券会社C	証券会社D
8,500口	1,000口	500口	割当てなし

IPOブックビルディング（需要申告）

申し込み

当たり　　**抽選で当選**

公募で
価格が
決定する

公募価格の〇〇円
で〇〇株申し込み
ます！

申し込み

はずれ　　**抽選で落選**

買えなかっ
たわ…。

人気銘柄ほど、公募価格より値上がりしやすい　　**上場後**

上がると思うから
買いたい！

売ることに
します！

株式を売って
利益が出た！

将棋AIロボット「Ponanza」で知られるAI開発会社「HEROZ」
が、2018年4月20日にMothersに上場しました。公募価格
4,500円に対して、ついた初値はなんと49,000円。優良企業
のIPOの抽選に当選すれば高確率で上がることが予想されるた
め、個人投資家から大変人気があります。

第4章　証券会社のビジネスのしくみ

Chapter4 05

投資銀行業務の代表的な業務であるM&A

M&AはMergers and Acquisition（合併と買収）の略で、投資銀行業務の中心です。リーマンショック後は、M&Aの件数が落ちこみましたが、アベノミクスによる景気回復により件数が増え、2019年には年間4,000件を超えました。

主なM&Aの手法

投資銀行業務の中心であるM&Aですが、主な手法として「株式譲渡」と「TOB」があります。中小企業のM&Aで利用されることが多いのが株式譲渡です。株式譲渡では、法人や個人が保有する株式を売買して株主を変更します。こうしてすべての発行株式を取得すれば会社は子会社となり、事業をそのまま継続できます。一方のTOBは「株式公開買付」と呼ばれます。公開企業の経営権や支配権を取得したり強化したりする目的で、市場外で対象株式を短期間で大量に買い付ける手法です。

華やかに見える証券会社のM&A業務ですが、実際は、緻密な作業を必要とする地味なものといわれています。デューデリジェンス（資産価値の査定）では企業の資産価値だけでなく、事業収益においても適正額かどうかなど、あらゆる側面から徹底的に調べ上げます。金融だけでなく会計や法律・経済情勢なども含めて検討が重ねられるのです。M&A業務には公認会計士資格をもっている社員や、社内におけるそれぞれの業務に精通したエキスパートがあたっています。

TOB
takeover bidの略。TOBと略すのは主に日本で、英語圏では単にbidと略す。米国では、tender offerという。

デューデリジェンス
証券会社などの金融機関がM&A業務を行う際に、投資対象となる企業のリスクや価値などを調査すること。due diligenceは「相当の注意義務」という意味（P.140参照）。

海外へのM&Aを活発化させる日本企業

M&Aを金額ベースで見ると、2015年以降急増しています。特にIN-OUT（日本企業による外国企業へのM&A）が増えているのが特徴です。国内市場が頭打ちとなるなか、販路拡大や自社にないノウハウを吸収するための外国企業買収が増えているのです。

また2013年以降の景気回復による企業業績改善で資金面に余裕がでてきていることが、海外企業へのM&Aを後押ししていると考えられます。

▶ 株式譲渡とTOBの違い

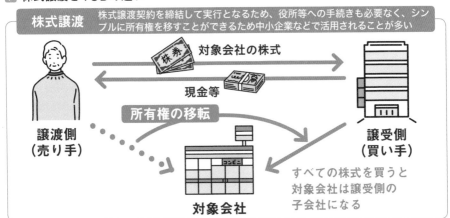

株式譲渡 株式譲渡契約を締結して実行となるため、役所等への手続きも必要なく、シンプルに所有権を移すことができるため中小企業などで活用されることが多い

対象会社の株式

現金等

所有権の移転

譲渡側
（売り手）

対象会社

譲受側
（買い手）

すべての株式を買うと
対象会社は譲受側の
子会社になる

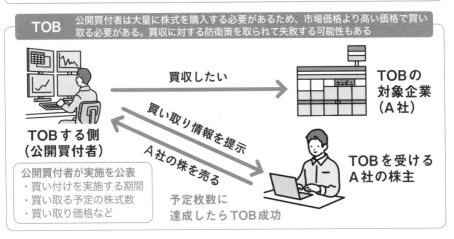

TOB 公開買付者は大量に株式を購入する必要があるため、市場価格より高い価格で買い取る必要がある。買収に対する防衛策を取られて失敗する可能性もある

買収したい

TOBの
対象企業
（A社）

TOBする側
（公開買付者）

買い取り情報を提示

A社の株を売る

TOBを受ける
A社の株主

公開買付者が実施を公表
・買い付けを実施する期間
・買い取る予定の株式数
・買い取り価格など

予定枚数に
達成したらTOB成功

▶ 日本企業のM&Aが急増

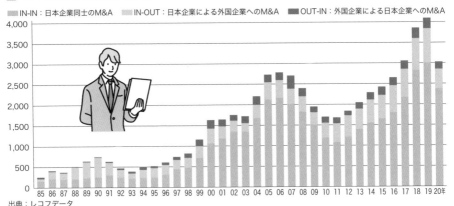

■IN-IN：日本企業同士のM&A　■IN-OUT：日本企業による外国企業へのM&A　■OUT-IN：外国企業による日本企業へのM&A

出典：レコフデータ

Chapter4 06

マーケット調査の専門である 「リサーチ」部門

リサーチ部門は、証券会社のメイン商品である債券や株式の営業時に、重要な指標となるレポートを作成する部門です。テレビや新聞などにも、「エコノミスト」「アナリスト」としてよく登場しています。

リサーチ部門の仕事

証券会社のリサーチ部門は、為替や株式市場などの動向から世界情勢までを分析し、投資家がどこに投資するかを検討する際の判断材料となるレポートを書いて発表する部門です。主な職種として、「エコノミスト」や「アナリスト」「ストラテジスト」などがあります。

エコノミストは産業や経済動向を幅広く調査し、情報分析や予測をします。ストラテジストは、資産運用や投資に関する戦略や戦術を考え、それを調査結果として発表します。アナリストは債券や株式・為替状況や個別企業について分析・調査を行っています。アナリストは、顧客向けのミーティングやイベントに参加して、今後の経済の見通しについて発表することもあるので、証券会社の「顔」といっても過言ではないでしょう。

リサーチ部門の担当者は、必須ではありませんが、証券アナリスト資格を保有しているのが一般的です。人気のあるエコノミストやアナリストには、多くのファンがつき、レポートの内容は投資家の行動や金融市場へ大きな影響を与えます。

リサーチ部門に求められるスキル

リサーチ部門の担当者は財務分析のスキルだけでなく、特定業界の知識や数字を分析する数学能力などが求められるため、非常に専門性の高い職種といえます。

また自分の名前で勝負することが求められるため、質の高いレポートを書く必要があります。そのためには企業訪問を積極的に行い、担当企業とのコネクションを作るなど足で稼いで情報を得ることも重要です。

証券アナリスト資格
証券アナリスト通信教育の受講、ならびに第1次と第2次試験の合格が必須。さらに、証券分析の実務経験が3年以上と認定されると、資格を取得できる。証券会社だけでなく、銀行や生命保険、信託銀行など幅広い金融機関に保有者がいる。

非常に専門性の高い職種
リサーチ部門の人材は専門性が高いため、転職市場においても各社からの引き合いが多い職種である。

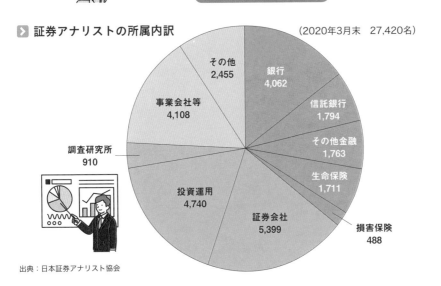

▶ リサーチ部門の業務

リサーチ部門 ── エコノミスト　経済全般を分析

アナリスト　個別企業や業界を分析

ストラテジスト　投資戦略を立てる

▶ 証券アナリストの所属内訳

（2020年3月末　27,420名）

- その他 2,455
- 銀行 4,062
- 信託銀行 1,794
- その他金融 1,763
- 生命保険 1,711
- 損害保険 488
- 証券会社 5,399
- 投資運用 4,740
- 調査研究所 910
- 事業会社等 4,108

出典：日本証券アナリスト協会

👉 ONE POINT

証券アナリストの仕事

　株式や債券などの価値を分析するのが証券アナリストの仕事です。証券アナリストには、通常、自分の専門分野があります。家電や自動車、鉄鋼といったように業種別に担当が決まっており、業種に属している企業を中心に調査してレポートをまとめます。証券アナリストのレポートを読むのは、主に生命保険会社や信託銀行、投資顧問会社などの機関投資家です。最近はネット証券を通じて、個人投資家にレポートを作成している証券アナリストも増えています。

　証券アナリスト自体は直接収益を稼ぎ出しているわけではありませんが、執筆したレポートはセールス担当などを通じて顧客に配付されます。そして、顧客は証券会社に株式などの売買注文を出すのです。ですから、間接的に収益に貢献しているといえるでしょう。

Chapter4 07

顧客と証券会社の資産は別々に保管・管理されている

「証券会社が破綻したら、預けている資産はどうなるのだろう」と不安に思う人もいるでしょう。しかし、証券会社は、法律で分別管理が義務づけられているため、顧客の資産は守られるようになっています。

顧客の資産は分別管理によって守られている

分別管理とは、証券会社などの金融商品取引業者が保有する資産と投資家から預かった資産を分けて管理することです。これにより、万が一、証券会社が破綻しても、投資家の資産は投資家に返還できるようになっています。

分別管理は法律で定められているため、金融商品取引業者は必ず実行する必要があります。具体的には、上場株式の場合は証券保管振替機構が管理し、投資家から預かったお金は、信託銀行に信託財産として預けられています。

証券保管振替機構
P.48参照。

顧客の株式の管理はどのようにしているのか

2009年1月から紙に印刷された株券は無効とされ、株主の権利は証券保管振替機構や証券会社などの金融機関で電子的に管理されています。証券保管振替機構には証券会社を含む多くの金融機関が参加しており、それぞれの顧客別に口座を開設しているのです。証券会社では、顧客の資金と証券会社の自己資金分をコンピューターのシステム上の帳簿記録により判別できるようにしています。

投資者保護基金
非営利の会員制の法人として1998年12月1日に設立。投資者保護が目的だが、対象は個人投資家のみ。銀行や保険会社、国・地方公共団体、法人口座は対象外。

投資者保護基金による補償制度もある

分別管理によって、証券会社が破綻しても、顧客の資産はきちんと返還されます。しかし、なんらかの理由で証券会社が顧客の資産を円滑に返還できない場合は、「投資者保護基金」による補償制度があります。証券会社の破綻に関する補償金額は、一人あたり1,000万円まで。ただし、信用取引やオプション取引などの未決済建玉の評価益は、補償制度の対象ではありません。

未決済建玉
FXや信用取引などの証拠金取引において、取引約定後に反対売買されずに残っている未決済分のこと。

▶ 顧客と証券会社の資産は必ず分別管理される

証券会社

顧客の資産
- 金銭
- 国内上場株式／債券
- 国内投資信託
- 外国証券
- 非上場株式等　証券会社の資産と区別して社内管理

証券会社の資産

顧客

証券保管振替機構　顧客口座

信託銀行
- 顧客分別金信託
- 信託銀行の自行の資産と明確に区分
- 信託財産

海外保管／決済機関　顧客口座

顧客の資産と証券会社の自社の資産を明確に区分する必要がある

出典：http://jipf.or.jp/introduction/index.html

▶ 投資者保護基金の補償対象

	保護対象	保護対象外
金融商品	・株式 ・債券 ・投資信託 ・その他取引所取引における証拠金など ・上記取引に関する金銭	・有価証券店頭デリバティブ取引（有価証券先物、オプション、CFD取引） ・外国の取引所で取引される先物、オプション、CFD取引 ・くりっく365取引 ・信託受益権、組合契約、匿名組合契約など（第2種金融取引業に該当する取引） ・FX取引
対象者	・個人の投資家 ・右記に該当しない法人　など	・適格機関投資家（銀行、証券会社、保険会社など） ・国・地方公共団体　など

出典：http://jipf.or.jp/introduction/index.html

なんらかの事情で証券会社が破綻し、分別管理の義務に違反したことによって、顧客の資産の返還が円滑に行われない場合には、投資者保護基金が一人当たり上限1,000万円まで補償を行ってくれます。

第4章　証券会社のビジネスのしくみ

Chapter4
08

顧客の資産の管理と運用を行うアセットマネジメント

アセットマネジメントとは、顧客の資金を預かり高度な専門知識を用いて資産の管理や運用を行うことです。アセットマネジメントに求められるものは、顧客へのリターン（利益）の提供です。

アセットマネジメントとは

アセットマネジメントのアセット（asset）とは資産、マネジメント（management）は管理・運用の意味です。投資家は自分で投資を行い、資産を管理・運用することもできますが、それには、適切な知識や時間が必要です。そこで高度な知識をもっている専門家が請け負い、より適切な資産運用を行います。情報提供も含め、トータルに顧客の資産管理・運用を支援することで、顧客から報酬を得るビジネスです。

アセットマネジメントは、主に投資顧問と投資信託に分けられます。投資顧問とは、投資家に対して助言したり、相談したりするなどの運用アドバイスを行うことです。投資一任契約を結ぶラップ口座（P.124参照）のサービスも証券会社が行う投資顧問業の1つです。現在、投資顧問業を行っている企業は約250社。今後も、安定的な収益源を得られるビジネスとして、進出する企業が増えると考えられます。

一方の投資信託とは、投資家から集めた資金を投資のプロであるファンドマネージャーが運用し、利益を投資家に還元する金融商品です。

アセットマネジメント・ビジネスの中心に位置するのは資産運用会社です。アナリストやファンドマネージャーなどの専門家を擁し、高い専門性をもって投資家の資金を運用します。実際のお金や資産は信託銀行が分別管理を行います。そして投資信託などの金融商品を販売するのが、銀行や証券会社などの金融機関です。証券会社は金融商品の販売をすることで、運用会社から代行手数料を受け取ることができ、これも証券会社にとっては大きな収益源になっています。

投資一任契約
投資家が証券会社に有価証券の投資判断のすべてを一任し、実行する権限を与える契約。

ファンドマネージャー
ファンドマネージャーとは運用を行う専門家のことで、運用会社に所属して業務を行う。市場や銘柄の分析、組入比率や売買タイミングを検討し、投資家から預かった資産を運用する。

▶ アセットマネジメント・ビジネスの1つである投資信託のしくみ

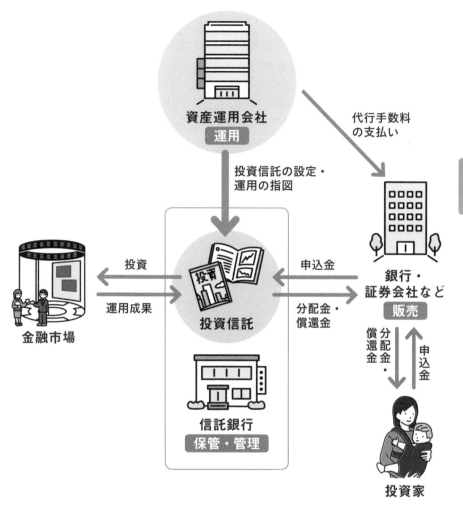

資産運用会社
運用

代行手数料
の支払い

投資信託の設定・
運用の指図

金融市場

投資

運用成果

投資信託

申込金

分配金・
償還金

信託銀行
保管・管理

銀行・
証券会社など
販売

償還金・
分配金

申込金

投資家

▶ 運用会社の役割

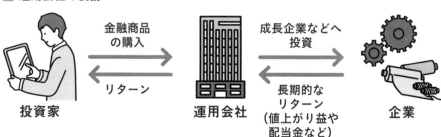

投資家

金融商品
の購入

リターン

運用会社

成長企業などへ
投資

長期的な
リターン
（値上がり益や
配当金など）

企業

Chapter4
09

証券会社ではさまざまな
リスクを管理する必要がある

証券会社は収益を追求する一方で、各種のリスクを適切に評価して管理する
ことが大切です。リスクとリターンのバランスが取れた財務構造や収益構造
を維持し、適切な経営を行うためにリスク管理が必要なのです。

証券会社が管理すべきリスクの種類

　証券会社が管理すべき主なリスクとして、市場リスク、信用リ
スク、流動性リスクなどがあります。

　市場リスクとは、株式や為替・金利などの相場が変動すること
により損失を被るリスクです。特に自己売買を行っている証券会
社では、大規模な損失を回避するために重要です。しかし、運用
成績を上げるには市場リスクを取ることが必要なので、その基準
としくみづくりが大切になります。

　一般的な金融機関の市場リスク管理は、バリュー・アット・リ
スク（VaR）が中心的な管理指標になっており、市場リスクに割
り当てた資本に対して損失が上回らないようにしています。

**バリュー・アット・
リスク（VaR）**
Value at Riskの略。
現在保有している資
産を、今後も一定期
間保有し続けた場合、
金利や株価などの変
動によってどの程度
の損失を被る可能性
があるかを過去デー
タから統計的に計測
する手法。

信用リスク管理

　信用リスクとは、保有する金融商品の発行体のデフォルト（債
務不履行）や信用力の変化などによって損失を被るリスクです。
主に与信リスクと発行体リスク、カントリーリスクがあります。
与信リスクは、取引先グループおよび取引ごとに管理され、与信
の供与はリスク管理会議において決定します。また発行体リスク
は、集中的な投資を回避するポートフォリオ管理を行い、格付け
ごとの保有上限を設定しています。カントリーリスクは、対象国
ごとに上限を設けることで管理されています。

流動性リスク管理

　流動性リスクとは、市場環境の変化や証券会社の財務内容の変
化などにより資金繰りに支障をきたすリスク、もしくは通常より
も高いコストで資金調達を余儀なくされることにより、損失を被

▶ 証券会社が管理する3つのリスク

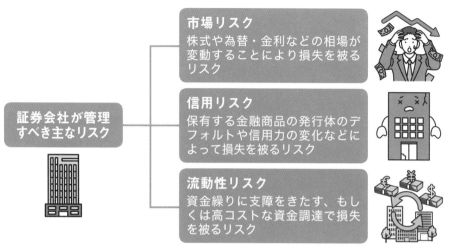

証券会社が管理
すべき主なリスク

市場リスク
株式や為替・金利などの相場が
変動することにより損失を被る
リスク

信用リスク
保有する金融商品の発行体のデ
フォルトや信用力の変化などに
よって損失を被るリスク

流動性リスク
資金繰りに支障をきたす、もし
くは高コストな資金調達で損失
を被るリスク

▶ リスクに対する組織・体制の整備

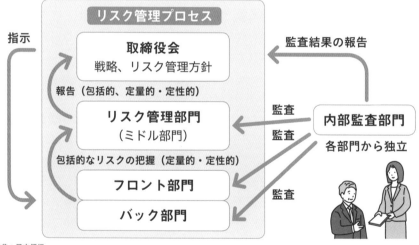

リスク管理プロセス

指示

取締役会
戦略、リスク管理方針

報告（包括的、定量的・定性的）

リスク管理部門
（ミドル部門）

包括的なリスクの把握（定量的・定性的）

フロント部門

バック部門

監査結果の報告

監査

監査

監査

内部監査部門

各部門から独立

出典：日本銀行

　るリスクです。証券会社では、短期・中期・長期で流動性リスク
のモニタリングを行うことで、リスクを軽減させようとしています。
　そのほかのリスクについても、独立した内部の監査部門が、そ
れぞれの部門の取引状況の適切さをチェックしたり、リスク要因
の報告を随時受けたりすることで、損失を未然に防ぐ努力をして
います。

Chapter4
10

証券会社における
社会貢献活動

日本では少子高齢化が進み、また地球規模では、環境問題の深刻化など社会情勢が大きく変化しています。そのような環境のなか、証券業界も社会ニーズに応え、公共の利益となる活動に取り組む姿勢が求められています。

日本証券業界がまとめた内容が指針となる

日本証券業協会では、証券戦略会議のもとに設置した「社会貢献ワーキング」において、基本的な社会貢献活動への取り組みへの考え方を取りまとめています。証券会社の利益に直接結びつくものではありませんが、企業の社会的責任（CSR）として求められる時代になっています。

そこでは、寄付などの金銭的貢献、ボランティア・施設提供などの非金銭的貢献、証券会社のノウハウを活用した経済や金融証券知識の普及・啓発活動に取り組むことが証券業界ができる社会貢献だと記されています。

証券業界のSDGsへの取り組み

2015年、国連は「持続可能な開発のための2030アジェンダ」を発表しました。先進国を含む国際社会全体の持続可能な開発目標（SDGs）として、2030年を期限とする17の目標と169のターゲットを定めています。

現在、さまざまな業界や企業がSDGsの目標を達成するための活動を行っていますが、日本証券業協会もSDGsの達成に向けた取り組みを重要課題と位置付け、積極的に取り組んでいます。2017年9月に「証券業界におけるSDGsの推進に関する懇談会」を設置し、その下部組織として「貧困、飢餓をなくし地球環境を守る分科会」、「働き方改革そして女性活躍支援分科会」、「社会的弱者への教育支援に関する分科会」を設置しています。分科会の動きによっては、証券業界はもっと社会に貢献できる業界へと変わっていくかもしれません。

CSR
Corporate Social Responsibilityの略。「企業の社会的責任」ともいい、企業は自社の利益を追求するだけでなく、すべてのステークホルダー（利害関係者）を視野に環境や社会・経済など幅広い社会ニーズを捉えた活動を行うべきという自発的な取り組み。

SDGs
Sustainable Development Goalsの略。貧困などの事情にかかわらず、先進国を含めてすべての国が行動し、「誰一人取り残さない」という理念をもとに定義された17の目標。

▶ SDGs17の目標

出典：https://www.un.org/sustainabledevelopment/
※ The content of this publication has not been approved by the United Nations and does not reflect the views of the United Nations or its officials or Member States.

▶ 証券業界におけるSDGsへの取り組み

証券業界におけるSDGsの推進に関する懇親会
座長：日本証券業協会会長／構成：有識者および協会員

貧困、飢餓をなくし 地球環境を守る分科会	働き方改革そして 女性活躍支援分科会	社会的弱者への 教育支援に関する分科会
グリーンボンドやソーシャルボンドなど、ESG投資からSDGsに貢献する金融商品の組成・販売促進について検討・対応する	証券業界における働き方改革や女性活躍の推進を図るため、業界横断的な方策について検討・対応する	経済的に厳しい状況でも子供達が将来的に希望をもって成長できるよう、証券業界として支援できる方策について検討・対応する

出典：日本証券業協会

証券業界に求められるコンプライアンス

金融庁が野村ホールディングスに改善命令を発表

2019年5月に、金融庁は野村ホールディングスと野村證券に対して業務改善命令を出しました。これは、東京証券取引所の市場区分見直しに関する情報漏洩があったためです。漏洩した情報に個別銘柄が含まれていなかったことから、インサイダー情報にはならないものの、投資判断に重要な影響を与える非公開情報を漏洩したと判断されました。野村證券は、2012年にも上場会社の公募増資を巡るインサイダー取引問題で、業務改善命令を受けていました。そのため、金融庁は野村證券のコンプライアンス（法令遵守）の意識が欠けているとし、規範意識の向上や社内の情報管理の向上など、抜本的な見直しを求めたのです。

ほかの証券会社でも不祥事は起きている

野村ホールディングスが不祥事を繰り返しているのは、単に企業の問題というだけでなく、証券業界全体の問題だともいえます。近年起こった証券会社の不祥事と、それに対する行政処分について見てみましょう。

・豊証券株式会社に対する行政処分（2017年10月20日）

顧客に対して損失の補填をあらかじめ約束したうえで株式の売買をしたほか、発生した損失を補填するために自己資金465万円を取引口座に入金。法令違反により、証券取引等監視委員会から行政処分を求める勧告が行われた。

・岩井コスモ証券株式会社に対する行政処分（2017年12月19日）

公表前のアナリストレポートに記載される情報を用いて勧誘していたことにより、証券取引等監視委員会から行政処分を求める勧告が行われた。

このような不祥事が起こるのは、一部の顧客を優遇しようという考えがあるからです。それは短期的な収益につながるものの、長期的に見るとほかの投資家からの信頼を失うことになります。

このような不祥事を繰り返さないために、証券業界全体の意識改革が迫られています。

第5章

証券業界が取り扱う
さまざまな金融商品

証券会社では、さまざまな金融商品を取り扱い、顧客に販売しています。証券業界を知るためには、これら金融商品と金融サービスについても理解しておくことが必要です。第5章では証券会社で取り扱っている金融商品とサービスの特性について解説します。

Chapter5 01

金融商品には
リスクとリターンがある

どんな金融商品にもリスクとリターンがあります。リターンとは投資で得られる利益のこと。リスクは一般的に「避けるべきこと」「危険なこと」という意味ですが、投資の世界ではリターンの振れ幅のことを指します。

金融商品のリスクとリターン

金融商品のリスクとリターンには密接な関係があります。「リスクが大きい金融商品ほどリターンが大きい（ハイリスク・ハイリターン）」、「リスクが小さい金融商品ほどリターンは小さい（ローリスク・ローリターン）」という傾向があるのです。リスクが低くリターンが高い金融商品は存在しません。右ページ下図の有価証券Aと有価証券Bの価格変動を見てみましょう。有価証券Aより有価証券Bの価格変動幅のほうが大きいので、この場合「有価証券Bのほうがリスクは高い」と判断できます。

金融商品の4つのリスク

金融商品の主なリスクには「信用リスク」「価格変動リスク」「カントリーリスク」「為替変動リスク」の4つがあります。信用リスクとは、債券などを発行する国や企業が財政難や経営不振などの理由により、償還金や利息をあらかじめ決められた条件で支払えなくなるリスクで、「デフォルトリスク」とも呼ばれます。

次に価格変動リスクとは、購入した金融商品の価格が変動する可能性のことです。価格が変動する金融商品の代表は株式ですが、債券も途中で売却する場合は市場価格により変動します。

そしてカントリーリスクとは、金融商品と関係する国や地域の政治や経済の状況の変化によって、市場が影響を受けて投資した資産の価値が変動する可能性のことです。

4つ目の為替変動リスクとは、為替レートが変動する可能性です。円から外貨に投資していた場合、購入時より円安になると為替差益を得られますが、円高になると為替差損を被り、円での収益が減ります。

為替差益
為替レートの変動により生じる利益のこと。なお、為替差益は所得税の課税対象。

為替差損
為替レートの変動により損失を生じること。

▶ 金融商品によってリスクとリターンは異なる

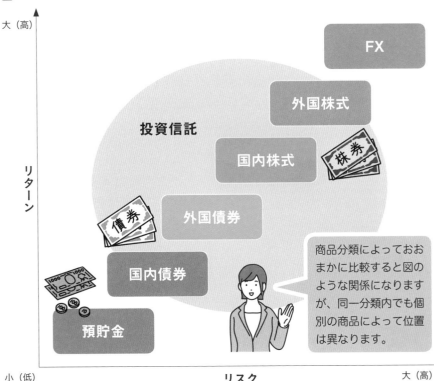

大（高）

リターン

FX

外国株式

投資信託

国内株式

株券

債券

外国債券

国内債券

預貯金

商品分類によっておおまかに比較すると図のような関係になりますが、同一分類内でも個別の商品によって位置は異なります。

小（低）　　　　リスク　　　　大（高）

▶ リスクの比較と考え方

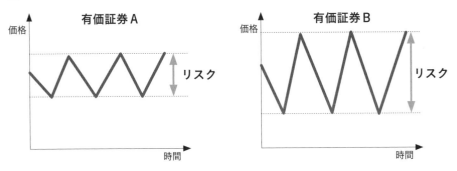

有価証券A

価格

リスク

時間

有価証券B

価格

リスク

時間

価格の変動が大きい商品のほうが、リスクが高いと判断されます。また、投資期間が長い商品ほど、将来の状況が予測しづらいため、リスクが高いといわれます。

Chapter5 02

企業や国が資金調達を目的に発行する「有価証券」

証券会社が扱うのは、主に株式や債券などの「有価証券」です。有価証券は金融商品取引法で具体的に定義されています。ただし、有価証券に準ずる「みなし有価証券」もあります。両者の違いついても知っておきましょう。

有価証券とは

有価証券とは、株券や債券など財産的価値のある権利を表す証券や証書のことです。広義には小切手や約束手形なども有価証券に含まれますが、金融商品取引法第2条では、株券や国債、社債、投資信託の受託証券、**新株予約権証券**などが有価証券として具体的に定義されています。

株券や債券などは、国や企業の資金調達手段として利用されています。また、一定の単位で売買できることから、投資の対象にもなっています。

一般的な投資対象として、有価証券で最も知名度があるのは株でしょう。株を保有することで、株主は企業のオーナーになり、配当や株主優待などを受け取れます。そして、その企業の業績が伸びそうだと考える人が多ければ株を買う人が多くなり、株価（株式の価格）は上昇します。

社債や国債は、投資家に対して一定期間ごとに利息を支払い、満期まで保有すると**額面金額**でお金を返すというしくみになっています。

なお、証券会社のように、有価証券の売買を業として行うには、金融商品取引業者として登録する必要があります。

みなし有価証券とは

「みなし有価証券」も、金融商品取引法で規定されています。みなし有価証券には、**信託受益権**や**集団投資スキーム持分**などがあります。有価証券は証券または証書に権利を表示するものですが、証券や証書として表示されていない権利についても、一定のものは有価証券として投資者保護の対象となっているのです。

新株予約権証券
発行した会社に対して行使すれば、その株式会社の新株の交付を受けることができる証券。

額面金額
債券が満期を迎えたときに受け取れる金額で、債券を売買する際の最低取引単位になる。

信託受益権
所有不動産を信託銀行などに委託した際に、その資産から発生する賃料収入などを受け取る権利のこと。

集団投資スキーム持分
他者から金銭などの出資・拠出を受けて事業や投資を行い、そこから生じる利益を出資・拠出者に分配するしくみで、その権利を集団投資スキーム持分という。

▶ 有価証券の定義

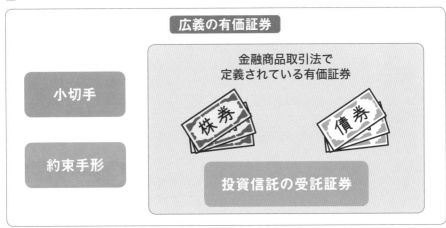

広義の有価証券

小切手

約束手形

金融商品取引法で
定義されている有価証券

株券

債券

投資信託の受託証券

▶ 集団投資スキーム持分のしくみ

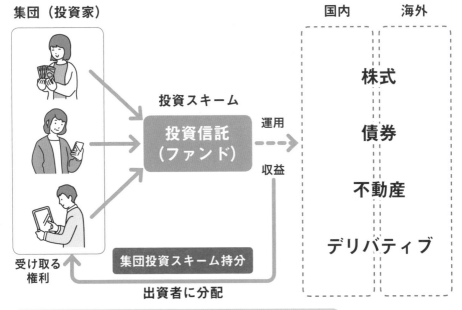

集団（投資家）

投資スキーム

投資信託
（ファンド）

運用

収益

受け取る
権利

集団投資スキーム持分

出資者に分配

国内　　海外

株式

債券

不動産

デリバティブ

集団投資スキーム持分は、資産運用型と資産流動型の2つがあります。資産運用型の代表は投資信託。資産流動型は、不動産投資などで活用されることが多いです。多額の資金が必要とされる不動産を複数人の投資家が出資することで、大口の不動産を購入することが可能になります。

Chapter5
03

証券取引所で取引する上場株式

株式には、証券取引所に上場されている上場株式と、上場されていない非上場株式（未公開株）に分けられます。上場株式は証券取引所で取引できますが、非上場株式は投資家が自由に取引できる市場は存在しません。

📍 上場株式は証券取引所で売買できる

　株式のうち証券取引所に上場されたものを「上場株式」といいます。日本を代表する証券取引所である東京証券取引所には3,759社（2021年2月26日現在）が上場しています。上場株式は証券取引所を通じて売買できるので、多くの投資家によって取引されています。

　東京証券取引所などの証券取引所は企業から上場申請があった場合、株式の売買に適した企業かどうかを厳しく審査します。そして、特に企業規模が大きく東京証券取引所の厳しい審査をクリアすると「東証一部」に上場できます。東証一部よりも条件が緩和されているのが「東証二部」で、中堅企業が中心になっています。このなかには、将来東証一部を目指すような名だたる企業も多くあります。そして、新興企業やベンチャー企業向けの市場がMothersやJASDAQ（ジャスダック）です。

　なお、国内には、名古屋、札幌、福岡にも証券取引所があります。名古屋証券取引所は、東証に次いで取引量が多い市場です。札幌と福岡の証券取引所は「地方証券取引所」と呼ばれ、その地域周辺に本社がある企業が多く上場しています。しかし、これら取引所の上場銘柄のほとんどが東証にも上場しているため、東証＝日本の証券取引の中心と考えてよいでしょう。

　上場していない非上場株式は、投資家が自由に取引できる市場がないので、市場価格が存在しません。また、原則、証券会社では取り扱っていません。非上場株式の売買は、売り手と買い手の間での直接売買、すなわち相対取引（あいたい）となります。個人投資家が非上場株式を取引するのは困難ですが、富裕層や機関投資家の資金を集めて非上場株式に投資するファンドは存在しています。

相対取引
証券取引所を通さず、売り手と買い手が直接売買すること。以前は非上場会社の株式を売買する「グリーンシート市場」があったが、2018年3月31日に廃止された。

▶ 2021年2月時点の上場会社数

(単位：社)
かっこ内は、うち外国会社

第一部	第二部	Mothers	JASDAQ スタンダード	JASDAQ グロース	Tokyo Pro Market	合計
2,194 (1)	472 (1)	346 (1)	667 (1)	37 (0)	43 (0)	3,759 (4)

出典：JPX

▶ 基準によって市場が分かれる

大型企業 　市場第一部

中堅企業 　市場第二部

成長企業 　Mothers　JASDAQ

出典：JPX
※ 2022年4月に取引所の市場区分が変更になる予定（P.46参照）

▶ 上場企業と非上場企業の違い

上場企業	非上場企業
株式を公開している	株式を公開していない
資金を集めやすい	資金を集めにくい
買収のリスクがある	買収のリスクがない
証券取引所で株式が買える	証券取引所で株式が買えない
株式の所有は主に株主である投資家	株主の所有は主に創業者や役員、関連会社
経営が株主の意見に左右される	経営が株主に左右されない

Chapter5 04

手元資金以上の売買が可能となる「信用取引」

信用取引とは、証券会社からお金や株券を借りて株式を売買する取引のことです。手持ちの資金が少なくても、信用取引を利用すれば、それ以上の資金を投資できるため、うまく行けば、大きな利益を得ることが可能です。

信用取引と現物株の違い

信用取引とは現金や株式を証券会社に担保として預け、証券会社からお金を借りて株式を買ったり（信用買い）、株券を借りて売ったりする（信用売り）取引です。信用取引では担保の評価額の3.3倍まで取引できるので、手持ち資金以上の売買が可能になります。これを「レバレッジ効果」といいます。

現物株は買いからしか取引できないので、株価が上がらないと利益が出ません。しかし、信用取引では売りからも取引できるので、高く売って安く買い戻すことができれば、株価の下落局面でも収益機会があります。

このように、信用取引は上昇・下落どちらの局面でも利益を狙えるのが魅力です。ただし、損失が出る可能性もあることはいうまでもありません。

追証に注意！

信用取引では現物株以上にリスク管理が大切です。現物株では企業が倒産した場合、最悪でも投資した資産がゼロになるだけです。しかし、信用取引では最大3.3倍の資金で取引するので、投資した金額を超えてマイナスになる可能性があります。

さらに、信用取引では、証券会社から現金や株式を借りて投資をするにあたって、定められた保証金率を維持する必要があります。損失が生じた結果、保証金率を下回った場合、定められた期日までに追加で保証金を預け入れる必要があります。これを「追証」といいます。

追証の差し入れができない場合、証券会社が強制的に決済して損失を確定させるので注意が必要です。

レバレッジ効果
「てこ（＝レバレッジ）の原理」になぞらえた考え方で、小さな力で大きな効果をもたらすという意味。信用取引では少額の資金で大きなリターンが期待できる。

保証金率
委託保証金率ともいう。信用を供与してくれる証券会社に担保として差し入れる現金や株式の価額の、取引金額に対する比率。委託保証金の額は、信用取引の約定代金の30％以上と法令で定められている。

追証
証券会社によって異なるが、通常、保証金率が20〜25％を下回ると追証になる。

▶ 信用取引のしくみ

委託保証金の差し入れ
（証券会社が担保として保有）

資金・株の貸付
（投資家が売買に使用）

投資家

証券会社

▶ 信用取引のメリット

① 自己資金の最大約3.3倍の取引ができる

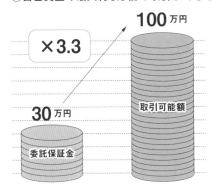

×3.3

100万円

30万円

取引可能額

委託保証金

② 株価の下落時にも利益が出せる

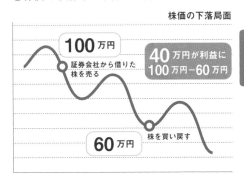

株価の下落局面

100万円
証券会社から借りた
株を売る

40万円が利益に
100万円−60万円

60万円
株を買い戻す

👍 ONE POINT

投資資金以上の損失が
発生することもある

　信用取引は買いではなく「売り」でも利益を狙えるのが魅力です。また、少額の資金で大きな資金を運用できるので、大きな利益を狙えます。FX（外国証拠金取引）などレバレッジ取引が個人投資家に普及し、セルフ層を中心に信用取引が注目を集めています。しかし、かなりハイリスクな商品であるため、投資初心者にはあまりおすすめできません。例えば、100万円で取引をスタートし、株価が1/10になったとします。通常の株取引であれば、90万円の損失、手元には10万円の資金が残ります。信用取引は約3倍のレバレッジで運用できるため、300万円の取引が可能です。同じように株価が1/10になったと仮定すると、300万×1/10＝株価は30万円ですから、投資資金100万円に対して、損失は270万円にもなります。つまり170万円の負債をかかえることになるのです。

　信用取引は、投資知識や経験のある人、資産に余裕のある人向けの金融商品といえるでしょう。

Chapter5 05

商品ラインナップが 充実している「投資信託」

投資信託協会が発表した2020年8月の投資信託概況によると、株式投信の純資産総額は113兆1,194億円と、2019年12月末以来8カ月ぶりに過去最高を更新しました。投資信託の魅力はなんでしょうか。

📍 投資信託のしくみとメリット

　投資信託とは、投資家から集めたお金を1つの資金としてまとめ、運用のプロであるファンドマネージャーが株や債券などに投資して運用し、その運用成果を投資家に還元する金融商品です。ネット証券を利用すれば100円から始められるという手軽さと、複数の銘柄に分散投資できるのでリスクを軽減できるというメリットがあります。投資初心者にとっては、自分で個別の投資対象を選び投資する株より、プロに任せられるという安心感もあります。

📍 ETF（上場投資信託）と投資信託の違いとは

　ETFとはExchange Traded Fundの略で、「上場投資信託」といいます。日経平均株価やNYダウなどの指数に連動するように運用されている投資信託の一種ですが、証券取引所に上場しているため、株式と同じようにリアルタイムで取引できるというメリットがあります。

　一般的な投資信託は、売買の注文を出した当日は基準価額がわかりません。注文を出した翌営業日に公表されるのが通常です。また、ETFのほうが保有期間中の手数料である信託報酬が安くなっていることが多いため、長期投資を考えた場合、トータルでの手数料負担は少なくなります。

　ETFと一般的な投資信託の大きな違いは、証券取引所に上場しているかどうかです。株式と同じように希望する価格でリアルタイム取引したい投資家はETFが適しています。一方、頻繁に売買する予定がなく、プロの手を借りつつ長期投資したい投資家には、投資信託が適しています。

日経平均株価
日本の株式市場の代表的な株価指標。東京証券取引市場第一部に上場する銘柄のうち、日本を代表する225銘柄をもとに算出している。

基準価額
投資信託の値段のこと。投資信託が保有する金融商品などの時価評価の総額に利息や配当金などの収入を加えて、そこから運用コストを差し引いた金額を総口数で割って算出される。

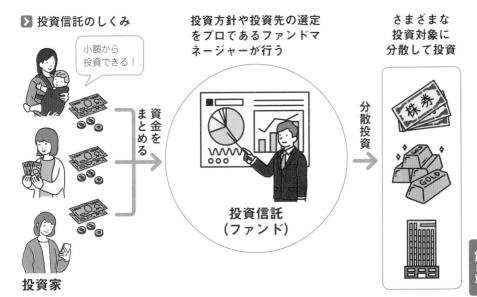

▶ 投資信託のしくみ

小額から投資できる！

投資家

資金をまとめる

投資方針や投資先の選定をプロであるファンドマネージャーが行う

投資信託（ファンド）

分散投資

さまざまな投資対象に分散して投資

▶ ETFと一般的な投資信託の違い

	ETF	一般的な投資信託
上場・非上場	上場	非上場
販売会社	証券会社	証券会社・銀行など
取引価格	成行・指値注文	基準価額
取引機会	証券取引所の立会時間	1日1回

👍 ONE POINT

ETFの魅力ってなに？

　近年、一般的な投資信託以上に、ETFの人気が高まっています。これは、リアルタイムで取引できることに加え、信用取引ができる点も魅力だからです。例えば、現物株を保有している投資家が、日経平均株価に連動するETFを信用売りすれば、保有株のヘッジ手段になります。ヘッジとしては日経225先物もありますが、ETFはより少額から取引できるというメリットがあります。ETFを利用すれば多彩な投資戦略を取れるのです。

投機性の高さが人気の「先物取引」と「オプション取引」

日経平均株価を対象にした先物取引である「日経225先物」などは、個人投資家だけでなく機関投資家にも高い人気を誇っています。さらに先物のヘッジ目的で開発された「オプション取引」も注目されています。

注目度が高まる日経225先物

少額の資金で投機性の高い取引ができるのが先物取引です。先物取引とは、あらかじめ決められた期日に、特定の商品を、あらかじめ定められた価格で売買することを約束する取引。大阪取引所に上場している「日経225先物」と「日経225mini」といった日経平均株価を対象とした先物取引が、個人投資家や機関投資家から支持されています。日経平均株価という1つの指標が対象で、株式投資のように多くの銘柄のなかから銘柄選択を行う必要がないこともその理由の1つです。

先物取引には株価指数のほかにも、商品先物や通貨先物、債券先物、金利先物、仮想通貨といった商品があります。

先物取引は相場が上がると予想したときには、現物株式と同じように「買い」から取引できます。また相場が下がると予想したときは「売り」から取引を始められるため、相場の下落局面でも利益を狙うことが可能です。信用取引と同じように、証拠金と呼ばれる担保を差し入れて取引を行い、レバレッジを効かせることもできます。

オプション取引も人気

先物取引と同様にヘッジに用いることができる、オプション取引の人気も高まっています。オプション取引は「買う権利」「売る権利」などの権利（オプション）を売買します。買う権利を売買する「コールオプション」と、売る権利を売買する「プットオプション」の2種類があります。

オプション取引も日経平均株価を対象にした「日経225オプション」が代表格です。

投機
一般的には、短期間で利益を得ようとする行為。ハイリスク・ハイリターンでギャンブル性が高いFXや商品先物、デリバティブなどが投機的な商品といわれる。

日経225mini
日経平均株価を対象にした株価指数先物。日経225先物の10分の1単位で取引できるため、より少額の資金でも取引が可能。

日経225オプション
日経平均株価を対象にしたオプション取引。証拠金を必要としないため人気が高い。

▶ 先物取引の3つの要素

❶　特定の商品（日経平均株価指数など）を

＋

❷　将来の一定期日までに

＋

❸　取引時点で定める価格で

取引する

▶ オプション取引には2つの種類と4つの立場がある

	コールオプション （買う権利）	プットオプション （売る権利）
買い手	コールオプションの買い 買う権利の保有者 （行使か放棄を選択）	プットオプションの買い 売る権利の保有者 （行使か放棄を選択）
売り手	コールオプションの売り 買う権利の付与者 （売る義務を負う）	プットオプションの売り 売る権利の付与者 （買う義務を負う）

買い手　　　　　　　売り手　　　　　　　買い手　　　　　　　売り手

買う権利　　　　　　　　　　　　　　売る権利

行使する ➡ 売らなければならない　　　行使する ➡ 買わなければならない

放棄する ➡ 売らなくてよい　　　　　　放棄する ➡ 買わなくてよい

個人投資家からの人気が 急上昇中の「FX」

個人投資家の間で人気が高まっているのが、FX（外国為替証拠金取引）です。取引時間が株式より長いことや、少ない資金で大きな運用をできる点が大きなメリットになっています。

FXの魅力とは

FXは為替レートが上がるか下がるかを予測して利益を狙う取引です。例えば米ドルなどの外貨を安いときに買って、高くなったときに売ればその差額が利益になります。株式は証券取引所が開いている時間しか取引できませんが、FXなら平日24時間取引できます。そして、株式の信用取引のレバレッジが3.3倍なのに対して、FXなら25倍までの取引が可能です。以前は数百倍のレバレッジをかけることができたFXですが、2010年夏にレバレッジ倍率が50倍、2011年夏に25倍と段階的に規制されました。ただ、25倍でも相当高いレバレッジになるので、証拠金以上の損失を被る恐れがあります。

大きな利益が狙える代わりに損失も大きくなるので、株式の取引以上にリスク管理が重要になります。

証券取引所が開いている時間
東京証券取引所の取引時間は、平日の9：00〜11：30と、12：30〜15：00までの計5時間。

25倍
FXのレバレッジは25倍。つまり、100万円の証拠金で2,500万円までの取引が可能。

FXはCFDの一種

個人投資家のあいだでCFD取引の人気も高まっています。CFD取引は「差金決済取引」とも呼ばれています。差金決済取引とは、差額だけをやり取りする取引。利益が出たら利益だけ受け取り、損失が出た場合は、損失分だけ支払うという形で取引を行います。CFDの投資対象は、株式や株価指数・外国為替・原油・金などさまざまです。そのうち、外国為替を対象にしたCFDがFXです。商品を対象にしたものを「商品CFD」、株価指数を対象にしたものを「株価指数CFD」と呼びます。

ちなみに、先物取引も差金決済取引の一種ですが、先物取引には取引の期限が定められている一方で、FXやCFDには期限がないという違いがあります。

▶ FXのしくみ

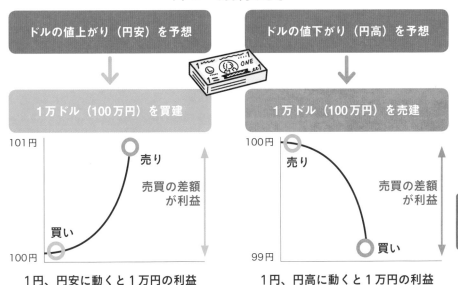

1ドル＝100円のとき

ドルの値上がり（円安）を予想	ドルの値下がり（円高）を予想
1万ドル（100万円）を買建	1万ドル（100万円）を売建

1円、円安に動くと1万円の利益　　　　1円、円高に動くと1万円の利益

上記例は、レバレッジをかけていません。仮に最大のレバレッジ25倍をかけていたとすると、1円動いただけで利益は25万円。一方、予想と逆の動きをした場合は、25万円の損失が発生します。

▶ CFD取引の種類

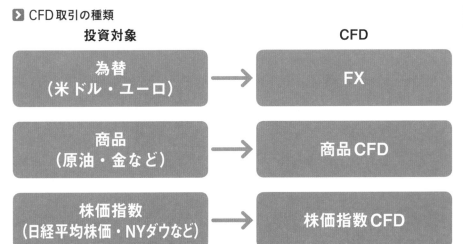

投資対象		CFD
為替（米ドル・ユーロ）	→	FX
商品（原油・金など）	→	商品CFD
株価指数（日経平均株価・NYダウなど）	→	株価指数CFD

Chapter5 08

証券会社の収益を支える債券

債券は株式と並ぶ代表的な金融商品です。証券会社にとっても、国や企業などが発行する債券発行引受と、債券を投資家に販売するビジネスは、証券会社の大きな収益源になっています。

債券は有価証券の一種

　債券とは、国や地方自治体、企業などが資金調達を目的として発行する有価証券です。国が発行体なら国債、地方自治体なら地方債、企業なら社債など、誰が発行するかでさまざまな種類があります。個人向けに発売される「個人向け国債」では1万円から、企業が発行する社債は10万円からの売買となっています。

　通常、債券を購入すると**利払日**に利息が支払われ、**償還日**に額面金額が払い戻されます。株式の場合は配当の額が約束されているわけではなく、配当がゼロの場合もあります。一方の債券は利率が決まっています。そして償還日まで保有すれば額面金額で返ってくるので、株式よりも安全性は高いといえます。ただし、途中で売却した場合は時価が変動するので、額面金額もよりも高くなることもあれば、低くなることもあります。

　また発行体の破綻や経営悪化により、投資元本を割り込んだり、利息の支払いが滞ったりする信用（デフォルト）リスクがあります。投資するにあたっては、発行体の安全性を**格付け**などでチェックしておくことが大切です。

インターネットでも取引可能に

　債券の取引は主に取引所を通さない店頭取引（相対取引）です。これまでは実際の店舗のみでの取引でしたが、債券もオンライン取引を取り扱う証券会社が増えてきました。証券会社にとっても、利回りが銀行預金よりも高く、株式よりもリスクが低い債券は、安定運用を求める顧客にすすめやすい金融商品です。

　オンライン取引を充実させ、今後リテールの主力商品として推奨していく証券会社も増えるでしょう。

利払日
預貯金や債券の利息が支払われる日。なお、日本の公社債は、年2回の利払いで、3月と9月に設定されていることが多い。

償還日
債券の返済期日のことで、通常は、額面金額が返済される。

格付け
格付け機関が債券や発行体の債務支払い能力を評価したもの。格付け機関によって異なるが、A格は債務履行の確実性が高い、B格は注意が必要、C格は債務不履行になる可能性が高いと判断する材料になる。

▶ 債券のしくみ

お金を貸す

債券を発行する

利子を支払う

償還日がきたら
額面金額を返す

投資家

発行体
（国・地方自治体・企業など）

▶ 債券の格付け

JCR、R&Iなど	ムーディーズ
AAA	Aaa
AA	Aa
A	A
BBB	Baa
BB	Ba
B	B
CCC	Caa
CC	Ca
C	C

投資適格

投機的

高

信用力

低

格付けが低い債券は、デフォルトリスク等が高い分、高格付けの債券よりも高い金利が支払われます。

Chapter5
09

投資と保険を融合させた「年金保険」

公的年金だけでは定年後の生活が不安だという人も多いのではないでしょうか。そんな人には、公的年金以外に自分で準備する「自分年金」として個人年金保険があり、証券会社でもこれらの取り扱いが増えています。

長寿化が進む日本

1950年頃の男性の平均寿命は約60歳でしたが、現在は約81歳まで伸びています。そして現在60歳の約4分の1が95歳まで生きるという試算もあり、まさに「人生100年時代」を迎えているといえるでしょう。

老後生活を支える制度として、国が管理、運営している公的年金制度があります。公的年金制度は、今働いている世代が払っている保険料を、現在の高齢者の年金にあてるしくみです。公的年金には、20歳以上のすべての国民が加入する国民年金と、会社員や公務員が加入する厚生年金の2種類があります。しかし、これだけでは老後の資金を将来は賄えなくなるでしょう。

証券会社でも年金保険を販売する時代に

老後の生活費など、将来に備えた貯蓄性の高い保険として「年金保険」があります。年金保険とは、契約時に定められた年数が経過した後、5年や10年などといった一定期間もしくは生涯にわたって、毎年、一定額の年金が受け取れる**貯蓄型の保険**です。支払った保険料は、保険会社によって運用されます。

金融ビッグバン以降は、銀行や証券・保険などの垣根が崩れ、証券会社でも保険を販売する時代になっています。投資性の強い年金保険は、大手証券を中心に証券会社でも取り扱っているため、証券会社の営業マンは、株式や投資信託などを売買している投資家への保険商品の販売に力を入れています。

老後の生活への不安や資産運用、投資に関心をもつ顧客層のニーズとマッチすることから、今後も年金保険の販売は増えていくことが予想されます。

貯蓄型の保険
万が一の保障としての役割はもちつつ、保険満了時に満期保険金を受け取ることができたり、保険を解約したときに解約返戻金を受け取ったりできる保険商品。このような貯蓄性のある保険は貯蓄型保険と呼ばれる。

▶ 60歳のうち各年齢まで生存する人の割合

	2015年推計	1995年推計
80歳	78.1%	67.7%
85歳	64.9%	50.0%
90歳	46.4%	30.6%
95歳	25.3%	14.1%
100歳	8.8%	–

寿命が延び続けるなかで、各個人が「人生100年時代」に備えて、資産形成や管理に取り組んでいくことが求められています。

※割合は、推計時点の60歳の人口と推計による将来人口との比較。1995年推計では、100歳のみの将来人口は公表されていない
出典：国立社会保障・人口問題研究所「将来人口推計」（中位推計）より、金融庁作成

▶ 年金制度のしくみ

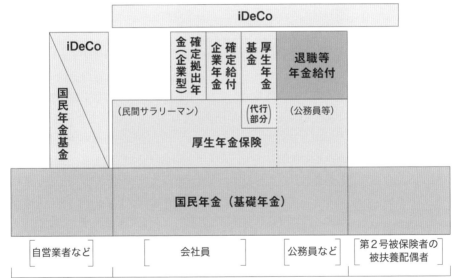

出典：厚生労働省

Chapter5
10

資産運用を行いながら 資金調達できる「証券担保ローン」

証券担保ローンは、証券会社が提供しているローン商品の一種です。富裕層向けの商品ではありますが、リテール営業の切り札として、今、ローン商品が注目されています。

証券担保ローンは証券会社ならではのローン商品

無担保ローン
担保なしで借り入れるローンのこと。返済できなくても、土地や家、自動車などの資産を差し出す必要がないが、その分金利が高い。

証券担保ローンとは、投資家が保有している株式などを担保に融資が受けられるローンです。カードローンなどの**無担保ローン**より低い金利で借りることができ、株式を担保に入れても、配当や株主優待などの株主の権利を失うことはありません。

近年、証券会社は顧客サービスの一環として、株式などを担保としてローンが受けられる証券担保ローンに力を入れています。現物株式や投資信託など、証券会社が定めた有価証券を担保として、投資家は資金の借り入れができます。

保有株を担保に借りた資金で新たな株式を購入するというイメージをもつ人もいるかもしれません。しかし、証券担保ローンは資金使途が原則自由なので、株式の購入だけでなく教育資金や旅行資金、緊急でお金が必要になったときなどにも利用できます。なお、取扱う証券会社によって、多少商品性の違いがあるものの、**日本証券金融**とタイアップした商品が一般的です。

日本証券金融
日本で唯一現存している証券金融会社。株式の信用取引の決済に必要な資金や株券を証券会社に融通するといった業務がメインだったが、近年は個人を対象とした証券担保ローンにも関わっている。

証券会社から見ると、取引を行っている顧客がもっている有価証券を担保にしているため、貸金業における大きなリスクである債務不履行リスク（信用リスク）を少しでも軽減できるというメリットがあるのです。ですが、担保としている株式や投資信託は、価格が下落することがあります。そのため、担保評価額が融資金の一定基準（7割程度）を下回ると、投資家が追加の担保を差し入れるか一部を返済しない限り、担保として保有している株式を強制的に決済します。

証券担保ローンは、株価下落などの経済状況の変化に対応できるよう、限度額に対して余裕をもった計画を立てて利用するように、証券会社は説明する義務があります。

▶ 証券担保ローンの一例

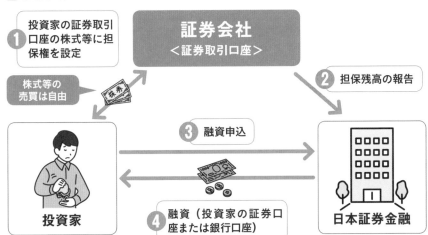

証券担保ローン活用方法

仮に株Aを保有している投資家が、株Bが上がると予想して資金が必要だった場合、新規資金を預け入れるか、株Aを売却して資金を準備する必要がある。しかし、株Aも引き続き保有しておきたい、かつ投資用の資金が準備できなかった場合に、このような証券担保ローンを有効活用できる。

▶ 日本証券金融を通した証券担保ローンの特徴

❶ 来店不要、借り入れはインターネット上で申し込みできる

❷ 融資額は、担保株式等の時価額の60%までで、融資額は30万円～最大1億円

❸ 融資資金はリアルタイムで投資家の口座に振込、返済もいつでもOK

❹ 資金使途に制約がない

❺ 担保株式等を売却し、売却代金を返済にあてることも可能

11

手軽に不動産投資ができる商品

不動産を証券化した商品「REIT」

不動産に直接投資するのに比べて、はるかに小さい金額から投資できるのがREIT（不動産投資信託）です。東京証券取引所に上場しているため、株式と同じようにリアルタイムで取引できるのが特徴です。

高い利回りが個人投資家に人気

REIT

REITは1960年代に米国で導入され、現在は世界各国に普及、2018年3月末時点で33カ国・地域でREITが上場している。2018年3月末の米国REITの時価総額は約112兆4,778億円で、日本の約10倍の市場規模となっている。

分配金利回り

投資した資金に対し、1年間にどの程度の分配金があったかを示したもの。仮に、1年間の分配金が30円で、現在の投資した商品の価格が1,000円だと、分配金利回りは3％になる。年間の分配金÷投資額×100で算出される。

インカムゲイン

株式の配当や債券の利子など、資産を保有することによって得られる収入のこと。一方、保有する資産が値上がりしたのち、それを売却することで得られる収益のことはキャピタルゲインという。

REIT は Real Estate Investment Trust の略で、米国で誕生した金融商品です。多くの投資家から集めた資金で、オフィスビルや商業施設など複数の不動産などを購入、その賃貸収入や不動産の売買益を投資家に分配する商品となっています。間接的にさまざまな不動産の大家になれると考えればよいでしょう。

なお、日本国内で組成されたものは、頭にJAPANの「J」をつけて「J-REIT」と呼ばれています。J-REITは、東京証券取引所に上場しているため、株式と同じようにリアルタイムで取引できます。さらに、分配金利回りが高いのも魅力の1つです。

J-REITは2001年に2銘柄が初めて上場しましたが、2021年1月時点では62銘柄が上場。時価総額も2,500億円から14.92兆円（2021年1月現在）まで拡大しています。

人生100年時代の資産形成にJ-REITを利用する

日本人の平均寿命が延び続けていることで、長寿化を見据えた資産形成を意識する人が増えました。このような中長期の資産形成のために、分配金や利子などによる**インカムゲイン**を中心とした投資に関心が高まっていくと考えられています。なぜなら、インカムゲインは、金融商品を保有しているだけで安定的・継続的に得られる利益だからです。

2021年1月時点のJ-REITの分配金利回りは3.89％で、東証一部銘柄の平均配当利回り2.06％や長期金利0.05％よりも高くなっています。もちろん、元本が保証されているわけではありませんが、インカムゲインが期待できる金融商品の代表格といえるため、証券会社でも人気のある商品の1つになっています。

▶ J-REITのしくみ

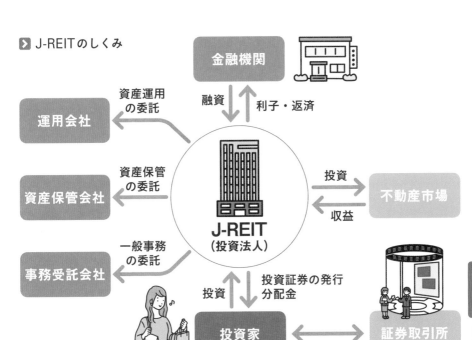

出典：投資信託協会

▶ J-REITに投資するメリット

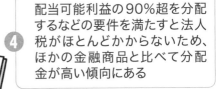

1 小口での投資ができる

4 配当可能利益の90％超を分配するなどの要件を満たすと法人税がほとんどかからないため、ほかの金融商品と比べて分配金が高い傾向にある

2 一定の流動性が確保される

5 複数の物件に分散投資することで収益変動リスクの低減を期待できる

3 不動産の運用を自ら行う必要がなく、専門家に任せられる

6 上場株式と同じように、証券取引所でタイムリーに売買することができる

すべて証券会社にお任せできるラクチン商品

投資一任契約で運用から管理まで行う「ラップ口座」

投資対象の選定から資産の管理まで、すべて自分で行おうとすると、かなりの手間と時間がかかります。そこで近年、比較的資産を持っている投資家向けに証券業界が提供しているのが、ラップ口座のサービスです。

ラップ口座は証券会社によるお任せ運用

　ラップ口座とは、投資家が証券会社などにまとまった資金を預け、資産を管理・運用してもらうサービスです。ラップ口座を提供する業者によっては、「ファンドラップ」や「SMA（Separately Managed Account）」とも呼ばれています。

　もともと、ラップ口座は富裕層をターゲットとして生まれた商品でした。そのため、最低預入金額も1,000万円程度というのが一般的でしたが、30代や40代のビジネスパーソンでも関心が高まってきたことから、最低預入金額は300〜500万円程度まで下がってきています。

　ラップ口座の最大のメリットは、最適な運用方法を選んでくれるだけでなく、売買まですべて行ってくれることです。投資一任契約に基づいた資産配分の構築や、株式・債券・投資信託などの売買判断の一任、注文の執行などのサービスが提供されます。

　通常、ラップ口座の手数料は売買ごとではなく、資産残高に対して定期的に一定料率が課される「フィー型」になっています。この手数料は、口座残高に対して一定のパーセンテージを払うというしくみのものと、それに加えて成果報酬として、運用成果に応じた成功報酬として払うものの2パターンがあり、大半の証券会社ではいずれかの手数料方式を投資家が選べるようになっています。

　手数料を支払ってもそれを上回る収益性が期待できる商品なので投資家の関心は年々高まり、2019年4月末時点で7兆7,000億円程度と、過去5年で6倍以上に膨らみました。証券会社としても、常に安定した手数料が入る商品のため、普及・促進に力を入れています。

フィー型
購入時の販売手数料が不要、その代わり運用資産の残高に応じて一定のファンドラップフィー（費用）を払う契約。

▶ ラップ口座のしくみ

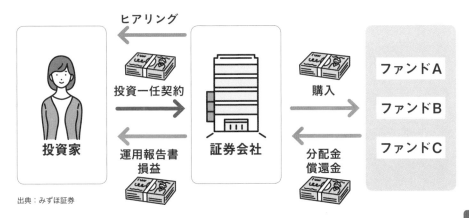

出典：みずほ証券

▶ サイクルを繰り返して顧客に最適な提案をする

❶ 顧客の希望する運用についてヒアリング

❷ 最適な運用方針や商品を提案

❸ 投資一任契約を結ぶ

❹ 方針に基づいて運用（商品の売買はすべて証券会社が行う）

❺ 運用状況等の報告

❻ コンサルティングで、今後の投資方針をあらためて確認

投資家

日本市場のカギを握る外国人投資家

外国人投資家は日本株の主役？

日本市場の現状を見るうえで、チェックしておきたいのが外国人投資家の動きです。

日本企業の上場会社約3,700社のうち、99％以上が日本に本社を置く生粋の日本企業です。また、株主の多くも日本の金融機関や個人投資家で、およそ7割を国内勢が占めています。外国人投資家はたったの3割に過ぎないのです。

しかし日々の取引では、様相が一変します。現物株では売買代金の6割、先物市場では7〜8割を外国人投資家が占めているのです。

日本の株式市場に大きな影響を与えている存在といえるため、今後の相場動向を探るうえで、外国人投資家の動きをチェックすることは大切です。

ただ外国人投資家といってもさまざまな投資主体がいます。長期投資家である政府系ファンドや年金運用機関もいれば、ヘッジファンドのように短期間で取引を繰り返す投資家も存在しています。

特に、外国人投資家の動きが目立ったのは、2012年11月14日の野田首相の衆院解散表明以降です。安倍政権が推し進めたアベノミクス政策の期待から、株式市場の上昇が続いた2013年4月までに日本株をなんと6兆円以上も買い越していました。

外国人投資家の動向をつかむには

東京証券取引所は、毎週木曜午後3時に投資部門別売買状況を発表しており、そのなかには外国人投資家に関するデータも含まれています。

ただし、東京証券取引所では、外国人投資家の注文を「日本国外の住所から出された注文」と定義しています。

つまり、日本の金融機関が米国や欧州などの投資顧問などに資金を預けている場合も、外国人投資家に分類されるのです。一口に外国人投資家といっても、その顔ぶれは多彩ですが、それでも大半は純粋な海外マネーです。

第6章

証券会社の仕事と組織

証券会社と聞くと、対面型の店舗が思い浮かぶ人も多いでしょう。証券会社には店舗以外にもさまざまな部門が存在します。個人では接する機会のない仕事や組織もあります。第6章では、一般には見えづらい法人向けの業務やバックオフィスの仕事を含めて、証券会社の内側を紹介します。

Chapter6 01

証券会社の組織の全体像

証券会社の職務分類として、本来の業務を行うフロントオフィスと人事・総務・広報といった本来業務を支える役割のバックオフィス、そしてリスク管理や経営企画などを行うミドルオフィスの3つに分けられます。

証券会社の業務概要を市場区分で分ける

　証券会社が行う業務を市場区分で分けると、プライマリー業務とセカンダリー業務に分類できます。プライマリー業務とは株式や債券の「発行市場」関連の業務を行っており、IPO（株式公開）やエクイティファイナンスなどの業務があります。

　一方のセカンダリー業務は「流通市場」に関する業務を実行しています。具体的には、すでに発行されている債券や株式などの有価証券を取引することです。セカンダリー市場での取引は取引所取引と店頭取引に分類でき、投資家のあいだでその時の価格（時価）で債券や株式などの有価証券が売買されています。

業務の面では3つに分類できる

　市場区分とは別に、証券会社の業務はフロントオフィス・ミドルオフィス・バックオフィスの3つに分類できます。

　フロントオフィスの業務は、主に証券会社の本来業務であるホールセールやリテールといった対顧客業務です。証券会社の顔といってもいいでしょう。

　バックオフィスは、決済や法務、人事など社内的な業務をしています。

　そしてミドルオフィスは、フロントオフィスとバックオフィスのあいだの業務、例えばリスク管理や経営企画、トレーダーからの注文を集計して営業成績をまとめる営業サポートなどが該当します。ミドルオフィスのなかでも経営企画部門は、証券会社のゼネラルスタッフの役を担っています。経営企画部で経営や営業の全体方針を決め、これに沿ってフロントオフィスやバックオフィスが業務内容を具体化して実行に移しています。

エクイティファイナンス
企業が株式を発行することによって、事業に必要な資金を調達すること。

ゼネラルスタッフ
スタッフのなかでも、業務全体を束ねる役割をもつスタッフを指す。

▶ 発行市場と流通市場の違い

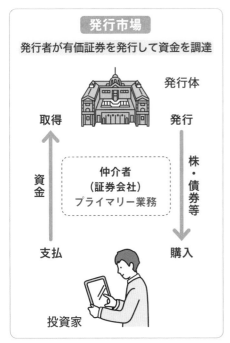

発行市場

発行者が有価証券を発行して資金を調達

発行体

取得　　　　　　　発行

資金　　仲介者
　　　　（証券会社）　　　　株・債券等
　　　　プライマリー業務

支払　　　　　　　購入

投資家

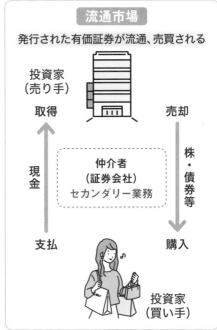

流通市場

発行された有価証券が流通、売買される

投資家（売り手）

取得　　　　　　　売却

現金　　仲介者
　　　　（証券会社）　　　　株・債券等
　　　　セカンダリー業務

支払　　　　　　　購入

投資家（買い手）

▶ 証券会社の組織図の概要

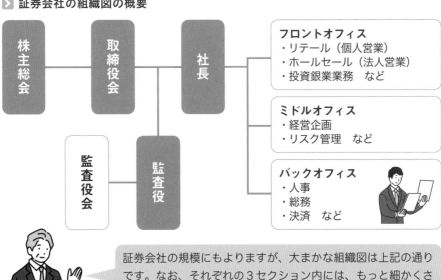

株主総会　─　取締役会　─　社長

フロントオフィス
・リテール（個人営業）
・ホールセール（法人営業）
・投資銀業務　など

ミドルオフィス
・経営企画
・リスク管理　など

バックオフィス
・人事
・総務
・決済　など

監査役会　─　監査役

証券会社の規模にもよりますが、大まかな組織図は上記の通りです。なお、それぞれの3セクション内には、もっと細かくさまざまな部署が存在しています。

Chapter6
02

証券業界の基本データ
～給与から福利厚生まで～

一般的に、証券業界はほかの業界と比べて給与が高いことで知られています。大手の証券会社では30代で年収が1千万円を超えることは珍しくありませんし、外資系証券会社の場合はさらに高給になる場合があります。

高収入の証券会社

　証券業界は、給与や年収が高いことで知られています。ただ、ひとことで証券会社といっても、ネット証券から全国に支店がある大手総合証券、外資系証券とさまざまな形態があり、待遇にも大きな差があります。

　2018年の年収を見てみると、大手の大和証券で917万円（平均年齢38.4歳）、準大手証券の岡三証券749万円（平均年齢39.0歳）、中堅証券の丸三証券で663万円（平均年齢34.8歳）、ネット証券の松井証券で878万円（平均年齢39.8歳）となっています。

厳しい実力主義の世界

　給与の高い証券会社ですが、「数字は人格」「ノルマ」といった、徹底した実力主義があることも有名です。証券会社は能力によってある程度年収に差がつく業界でしたが、近年はさらにその差が拡大傾向をたどっています。ある大手証券会社では、年収700万円の課長がいる一方、2,000万円を超える課長もいます。実力主義が浸透している外資系証券だけでなく、国内の証券会社でも成果報酬体系が導入されているところが増えているからです。

　また現在の市場は国際化が進んでいるので、国内のマーケットを見ていればいいというわけではありません。欧州や米国の市場も、日々チェックして勉強する必要があります。

　ただ、長く社員に勤めてもらうために休暇制度や住宅支援、保養所などの福利厚生を充実させている証券会社が多くなっています。特に大手になるほど力を入れていて、産休や育休などの制度も整っています。証券業界は、実力さえあれば、年収や福利厚生などに満足できる業界といえるでしょう。

福利厚生
社員のモチベーションを維持するため、職場環境の整備やワーク・ライフ・バランスの充実を目指す制度。

▶ みずほ証券（投資銀行部門）年次と年収

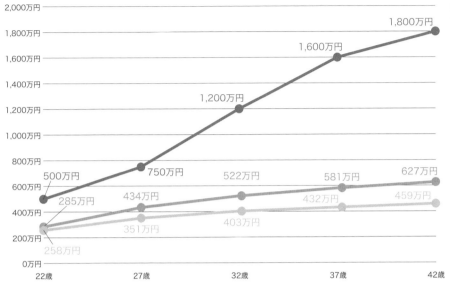

凡例：—— みずほ証券　　—— 大企業（資本金10億円以上の企業）　　—— 全国平均

- みずほ証券：500万円（22歳）、750万円（27歳）、1,200万円（32歳）、1,600万円（37歳）、1,800万円（42歳）
- 大企業：285万円（22歳）、434万円（27歳）、522万円（32歳）、581万円（37歳）、627万円（42歳）
- 全国平均：258万円（22歳）、351万円（27歳）、403万円（32歳）、432万円（37歳）、459万円（42歳）

出典：国税庁「平成28年度 民間給与実態統計調査」、Vorkersのデータを参考に外資就活編集部作成

▶ 大手証券会社の福利厚生の例

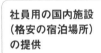
社員用の国内施設（格安の宿泊場所）の提供

独身寮の整備や、社宅、住宅手当の保証

持株会や確定拠出年金制度（401K）の導入で、財産形成をサポート

サッカーなどのクラブ支援制度

1時間単位の年休制度の導入

男性の育児休職取得率を100%とする働き方改革を推進

Chapter6 03

証券業界のキャリアパス

証券会社で出世する、または希望部署へ異動するためには、数字を残し続けることが大事です。また、培われたスキルはさまざまな業界で重宝されるので、ヘッドハンティングなどでの転職もよく行われています。

リテール部門のキャリアパス

証券ビジネスの最前線は「リテール営業」です。リテール営業とは、主に個人投資家を対象にした営業。社内でのキャリアパスでは、数字を上げて課長・支店長へと出世していくといったものが主流です。また、法人営業や投資銀行部門などホールセール部門へのキャリアチェンジも可能です。ただし、出世やキャリアチェンジのためにはリテール営業で「数字（結果）を出し続ける」ことが大切です。

なお、リテール営業ではファイナンシャルプランナー（FP）の資格が必須になりつつあります。この資格を取るには、証券だけでなく不動産や保険・税金など幅広い分野を学ぶ必要があります。

長時間労働や激務により辞める人も多いですが、会社に在籍するのであれば、数字をいかに残していくかを考えなければいけません。しかし、リテール営業で培われたスキルは、ほかの業界でも重宝されています。保険業界など他業界での営業職や財務コンサルといったキャリアも考えられます。

ファイナンシャルプランナー（FP）
家計に関わる税制や不動産、金融、保険など幅広い知識を備え、将来の夢がかなうように共に考え、サポートする専門家。

ホールセール部門のキャリアパス

ホールセール（法人業務）には、投資銀行業務や法人営業、ディーリング（自己売買）などがあります。ここでは、財務分析能力やコーポレートファイナンス、事業分析に関する知識などが必要になります。FP資格が重宝されるリテール営業に対し、ホールセール業務では、証券アナリストの資格が役に立ちます。

特に外資系証券会社は、ホールセールがメイン業務です。そのため、優秀な証券マンはヘッドハンティングなどで、国内証券のホールセール部門から外資系証券への転職も珍しくありません。

▶ FP資格と証券アナリストが証券会社での2大資格

	FP2級試験	証券アナリスト1次試験
試験時間	学科120分 実技90分	360分（3科目）
回答形式	4択・記述	空欄埋め・論述
合格点	60問中36問	上位5割
合格率	学科25%程度 実技3〜5割	5割程度

FP資格
さまざまな観点から顧客の総合的なサポートをするために、入社1〜2年目に取得することを義務化、もしくは推奨している証券会社が増えている

証券アナリスト
難易度が高いため、ホールセール部門やリサーチ部門を目指したい人が取得することが多い資格。特にリサーチ部門では、異動前の取得が義務化されていることもある

▶ 証券業界でのキャリアパス

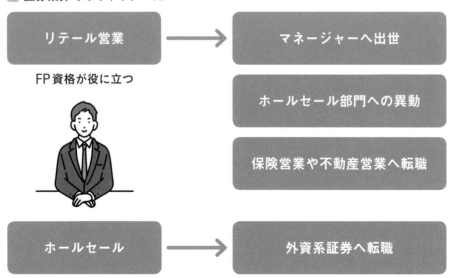

リテール営業 → マネージャーへ出世

FP資格が役に立つ

ホールセール部門への異動

保険営業や不動産営業へ転職

ホールセール → 外資系証券へ転職

証券アナリスト資格が役に立つ

Chapter6 04

証券業界が力を入れる人材開発と研修制度

証券業界は、人の生活に密接するお金を取り扱っています。そこで最も重要なのは、顧客からの信頼を得ることです。そのため、さまざまな方法で新人研修や社内研修などが頻繁に行われています。

新人研修で金融知識やビジネスマナーを身につける

　大手総合証券などでは研修用の施設があり、1カ月から2カ月にかけてみっちりと新人研修をします。新人研修では、金融や経済の基礎知識や、ビジネスマナーの基本研修、営業の模擬練習、パソコンを使った商品の発注方法や顧客管理ツールの操作方法などを学びます。金融知識では株式や債券、投資信託などのしくみを学び、科目ごとにテストもあります。この研修を終えると、店舗に配属され、対顧客営業をOJT形式で学んでいきます。

OJT
On-the-Job Training の略。職場で実務をこなしながら同時に仕事について学ぶ職業教育の1つ。

　証券会社は刻々と変化するマーケットを相手にしています。ときにはアクシデントや政治的・経済的サプライズによって市場に大きな変動が起こることも珍しくありません。そのような場合でも常に的確な判断と決断をすることが、証券マンには求められるのです。最初からなにもかもできるわけではありませんが、実際の現場と研修によって身につけていく姿勢が大切です。

顧客のハイレベルな要求に応える

　リテール営業におけるメイン顧客は、中小企業オーナーなどの富裕層が中心になります。そのため、営業力だけでなく金融や経済に関する幅広い知識と高い教養が求められます。また、顧客の年齢層も高い傾向にあるため、年長者とのコミュニケーションや応対スキルも学ぶことが重要です。

ホスピタリティ
「丁寧なもてなし」や「相手へのもてなしの心」を意味する。もともとは、サービス業を中心に使用されていた言葉だが、金融の現場でも顧客満足度向上のために使われるようになっている。

　証券業界では、ベテランに対してもしっかりとした教育体制が構築されています。顧客のタイプに合わせた対応力を学ぶ研修やホスピタリティ研修、そしてコンサルティング能力を高めるために、定期的な勉強会の実施はもちろん、資格取得のためのスクール代金・受験料の補助などを実施している会社もあります。

▶ 証券外務員資格の概要

証券外務員の試験は、決して難しいものではありません。過去問題を中心に勉強すれば、数カ月の勉強で取得できるでしょう。通常は、証券外務員の資格を取得後、社内独自の試験（商品知識や発注方法など）に合格してから営業ができるようになります。

	2種外務員資格試験	1種外務員資格試験
出題科目	〔法令・諸規則〕 ・金融商品取引法及び関係法令　・金融商品の勧誘・販売に関係する法律 ・協会定款・諸規則　・取引所定款・諸規則 〔商品業務〕 ・株式業務　・債券業務　・投資信託及び投資法人に関する業務 ・付随業務　・デリバティブ取引（1種外務員資格試験のみ） 〔関連科目〕 ・証券市場の基礎知識　・株式会社法概論　・経済・金融・財政の常識 ・財務諸表と企業分析　・証券税制　・セールス業務	
出題範囲	①上記出題科目についての基礎的知識 ②コンプライアンスに関する基本的かつ重要な事項	①上記出題科目についての実務的、専門的知識 ②コンプライアンスに関する基本的かつ重要な事項
出題形式	○×方式および選択問題	
問題数	合計70問	合計100問
合否判定	300点満点の7割（210点）以上	440点満点の7割（308点）以上
留意事項	一度不合格になった場合、すべての外務員等資格試験について受験日から30日を経過するまでは受験できない	

▶ 証券会社の研修制度

新人研修	・金融や経済の基礎 ・ビジネスマナー研修 ・各種取り扱い商品の説明 ・株や投資信託の発注方法　など
中堅社員向け研修	・ビジネススキル研修 ・リーダーシップ研修 ・フォローアップ研修 ・システム承認者研修　など
管理職向け研修	・マネジメント研修 ・各種ビジネススキル研修 ・部下育成、部下指導研修　など

Chapter6
05

証券会社の花形
「リテール営業」部門

リテール営業は、証券会社を代表する部門です。現在のリテール営業は、た
だ単に数字を上げるために金融商品を売るだけでなく、顧客のライフプラン
に沿った資産運用のコンサルティングを重視するようになっています。

リテール営業は証券ビジネスの華

　リテール営業とは、個人向けの営業を指す言葉です。株式や投
資信託など金融商品の売買だけではなく、主な顧客である富裕層
や上場企業のオーナーに向けて、資産運用やお金に関するあらゆ
る提案を行うコンサルティング営業が主流になっています。

証券会社の営業スタイルの変化

　証券会社の営業といえば、朝早くから夜遅くまで顧客訪問し、
注文を取って歩くというイメージでした。実際、株や債券・投資
信託などのノルマが与えられ、それを達成するために夜遅くまで、
もしくは休日返上で客先を訪問するというケースが少なくありま
せんでした。しかし、そのような営業スタイルもせいぜい1990
年代までといわれ、最近ではほとんど見られません。インターネ
ットの普及や1999年の株式売買委託手数料の自由化によりネッ
ト証券が台頭。顧客は自分で証券会社を選ぶ時代になりました。
　そこで、現在重視されているのが「量よりも質」のリテール営
業です。リテール営業が力を入れているのが富裕層ビジネス。そ
して、証券を軸にして相続や税金など顧客のライフプランに沿っ
て、あらゆるコンサルティングを行うのがリテール営業なのです。
　セールスのやり方が変わっても、変わらないものがあります。
それは「優良な顧客をもっているかどうか」です。昔のような、
どぶ板営業をしなくなっても、セールスという名前が「プライベ
ートバンカー」や「フィナンシャルアドバイザー（FA）」という
名称に変わっても営業の本質は変わりません。優良な顧客をもっ
ているリテール営業の担当者であれば、どの証券会社でも十分に
食べていけるのです。

▶ ライフプランとは？

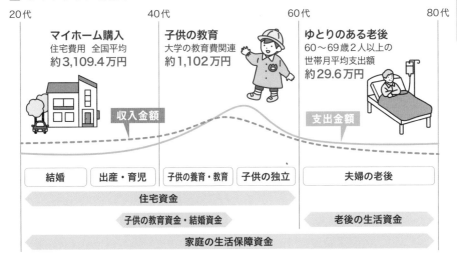

▶ ライフプランに沿った質の高いコンサルティングの提供を目指す

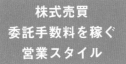

株式売買委託手数料を稼ぐ営業スタイル
→
・1999年の株式売買委託手数料の自由化
・ネット証券の台頭
→
量から質へのコンサルティング営業へ変化

👆 ONE POINT

どぶ板営業はなくなる？

　かつての証券会社の営業といえば、特にノルマが達成できない人ほど、手あたり次第に営業をかけたり、多くの客先に出向いたりする必要があったため、会社の仕事に忙殺される日々を送っていたのです。また、新人時代は引っ切り無しに顧客に電話営業をしなければならないといった厳しい時代もありました。

　しかし、唐突に電話をかけたり、訪問したりしても、顧客からは拒否反応を示されることも多く、成約まで結びつけるのは至難の業です。つまり、あまり効率のいい営業手法とはいえないのです。また、2020年の新型コロナウイルスの感染拡大により、顧客先に訪問する営業スタイルはなくなりつつあります。一部の大口客のコンサルティング営業では対面での接客が残るでしょうが、インターネットや電話での営業が一般的になっていくでしょう。そのため、非効率などぶ板営業はなくなる可能性が高いと思われます。

Chapter6
06

大企業や機関投資家が相手の「ホールセール」部門

国や自治体、大手法人向けの事業を「ホールセール」といいます。ホールセールの業務にはセールス、投資銀行業務、ストラクチャリング（金融商品の組成・開発）、ディーリング（自己売買業務）などがあります。

ホールセール部門は採算性の高い証券ビジネス

　ホールセールは、国や自治体、大企業などを相手に行う法人営業のことです。これらは、投資銀行業務と市場取引に関わる業務に分けられます。

　投資銀行業務はIB（インベストメント・バンキング）業務とも呼ばれ、M&Aアドバイザリー業務や資金調達のアレンジ業務を行っています。市場取引に関する業務は、セールス、ディーリング（自己売買）、ストラクチャリング（金融商品の組成・開発）に細分化できます。

　ストラクチャリング部門では顧客ニーズに合った商品の開発や組成を行っています。「リスクをとって収益を追求したい」「為替リスクを軽減させたい」などといったニーズに応えるために、金融派生商品（デリバティブ）を利用して新しい商品を組成するのです。

投資銀行業務とセールスは異なる

　同じホールセール部門でも、投資銀行業務とセールス業務は異なります。投資銀行業務はM&Aのアドバイザーなどのコンサルティング業務を行いますが、セールスは機関投資家などの法人相手に、サービスの提供や各種金融商品の販売をしています。

　セールス部門ではホールセールとリテールの境界がなくなりつつあります。しかし、それぞれ取り扱う金融商品の違いがあるため、簡単に集約はできないとの見方もあります。ホールセールでは企業の担当者も資産運用のプロであるケースが多いので、より一層高度な金融知識と最新の情報など、総合的な提案力が必要とされます。

機関投資家
個人投資家以外の証券投資を行っている団体のこと。生命保険会社や年金基金など、他人から委託された大量の資金を株式や債券などに投資して運用する企業を指す。

▶ ホールセールの仕事は大きく4つに分けられる

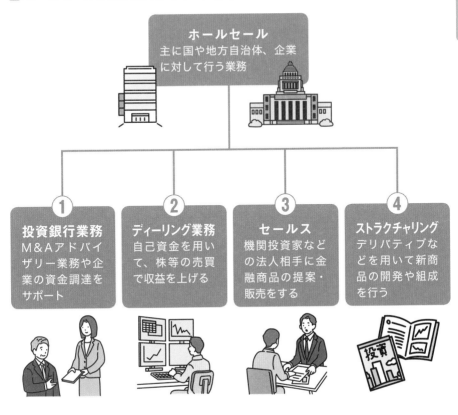

ホールセール
主に国や地方自治体、企業に対して行う業務

① 投資銀行業務
M&Aアドバイザリー業務や企業の資金調達をサポート

② ディーリング業務
自己資金を用いて、株等の売買で収益を上げる

③ セールス
機関投資家などの法人相手に金融商品の提案・販売をする

④ ストラクチャリング
デリバティブなどを用いて新商品の開発や組成を行う

✎ ONE POINT

ディーリング業務の規制が緩和された？

　ディーリング業務とは、証券会社が自己資金で行う株等の取引のことです。以前は、ディーリング業務を行うにあたって、さまざまな規制がありましたが、影響が及ばない外資系証券との格差が広がったことも問題になり、現在では規制の緩和が進んでいます。また、証券会社の主な収入源であった株式売買の委託手数料の減少が進むなか、各証券会社はディーリング業務に注力して収益力の強化を図ろうとしています。最近では、ディーリング業務の収益が委託手数料を上回る証券会社も出てきました。

　昔よりも規制が緩和されたとはいえ、株価に影響を与えるような大規模な売買や、自社の規模に合わないほどの過当投機を抑制するため、ディーリング業務に割り当てることができる限度枠が証券会社ごとに設けられています。

Chapter6 07

企業の買収・合併や資金調達に関わる「投資銀行業務」部門

投資銀行部門では、M&Aの仲介や株式・債券のアンダーライティング業務を行っています。投資銀行業務といえばM&Aという風潮がありますが、債券や株式の発行など、一般の人々が知らない重要な業務を行っています。

投資銀行の花形部門「M&A」

投資銀行
外資系投資銀行は非常に高い金融スキルをもっているため、リスクの高い投資や案件に取り組む。しかし2008年に起きたリーマンショック後は利益追求の姿勢を改め、リスク管理を強化している。

デューデリジェンス
P.88参照。

投資銀行のM&Aアドバイザリー部は、企業の合併や買収を支援するチームです。買収金額の交渉のほか、企業価値の算定、契約書作成なども行います。華やかなイメージのあるM&A業務ですが、実際は緻密さを必要とする地味なビジネスです。企業は成長戦略としてM&Aを検討しますが、普通の企業には買収先の企業価値などはわかりません。そこで、投資銀行が企業価値を計算したり、買収先企業との交渉を行ったりするのです。

デューデリジェンスでは、資産価値だけでなく、事業における収益についても適正額なのかどうかも、多くの観点から徹底的に調べ上げます。また会計や法律のほか、経済や社会を取り巻く情勢や世論などの動向も含めて検討が重ねられます。こうした表に出ない地味な作業を積み重ね、企業の買収や合併を成立させているのです。結果として、査定段階で案件として成立しない場合もあります。

アンダーライティング業務は競争が激化している

P.84で説明したように、アンダーライティング業務とは、ある会社が債券や株式を発行して資本市場で資金調達をしたいという要望があった場合、その発行の手伝いをすることです。

これまでの引受ビジネスは、大手証券会社が主幹事を務め、準大手以下のクラスが幹事証券会社を務めるというパターンがほとんどでした。しかし最近では、外資系証券会社や銀行系証券会社が主幹事を務めるケースが増え、幹事証券としてもネット証券会社が名を連ねるケースが増えています。引受ビジネスはネット証券や外資系証券が参入したことで、競争が激化しているのです。

▶ M&A業務における証券会社の役割

M&A案件化への取り組み　｜　**案件の執行**

業界動向
分析・予測

市場の
分析・予測

マクロ経済の
分析・予測

企業

経営課題　→　企業価値向
上のための
経営戦略

M&A

競合他社の
動向を調査

顧客企業の
財務分析や
成長戦略の
想定

デューデリジェンス

バリュエーション
本質的な
企業価値の把握

取引
ストラクチャー
の検討
財務・法務・
マーケットなど
幅広い
観点から検討

条件交渉

合意

クロージング

証券会社

・経営課題の分析

・経営課題に最適な解決策の提案

・ニーズに沿ったM&A案件の構築・
　対象企業のリサーチ及び選定

・デューデリジェンス
　の支援

・支援交渉

・クロージング支援

▶ デューデリジェンスは主に3つの観点から見る

財務デューデリジェンス	法務デューデリジェンス	ビジネスデューデリジェンス
・会計・財務・税務面の
リスクの調査
・直近の財務状況の把握
・過年度の損益状況の把握	・法務面でのリスクの調査
・各種契約関係や権利関係の把握	・事業面でのシナジーリスクの調査
・経営環境の把握
・買収の契約における条件等の検証

Chapter6
08

金融商品の開発・組成を行う「ストラクチャリング」部門

金融商品の開発や組成を行うストラクチャリング部門に求められる能力は、金融の自由化が進むにつれて変わってきました。現在は、デリバティブ（金融派生商品）を活用するための数学力が必須とされています。

かつては役所との折衝が主な仕事

ストラクチャリング部門は顧客に提供する商品を生み出す仕事です。部品となる商品を組み合わせながら、顧客のニーズを満たす商品開発に取り組みます。またセールスと一緒に顧客のもとに出向き、コンサルティングを行うこともあります。

証券ビジネスが金融行政によって厳しく律せられていた時代、ストラクチャリング部門の担当者にとって必要な要素は、法律をはじめとした制度的な知識と、担当官庁である金融庁の役人との交渉力でした。商品開発のアイデアが生まれたら法制度等を確認し、違法でなければ金融庁に持ち込み認可をもらう、それが当時のストラクチャリング部門の仕事だったのです。

現在のストラクチャリング部門は数学能力が必須

現在は金融工学の発達により、債券や株式をパッケージとして売り出す投資信託や、日経平均株価に連動した先物取引商品などのデリバティブ（金融派生商品）が誕生。個人の売買も多様化した商品から選択できる環境になりました。さまざまな顧客のニーズを捉え、どう金融商品として実現するかという業務を行うのが、今のストラクチャリング部門の仕事になっています。

現在のストラクチャリング部門は、理工系出身者が多い専門性の高い部署として知られています。デリバティブを活用した金融商品が増えてきているため、この分野に詳しいスタッフを揃える必要性が高まっているからです。世の中の情勢を見極め、人気の出そうな商品のアイデアを考えつく能力と、金融技術的に商品化が可能なのかを判断できる広い知識が、これからのストラクチャリング部門の担当者には必要になっています。

金融工学
金融商品のリスクやリターンなどを、数学やコンピューターを駆使して分析、数値化することで、リスクヘッジやリスクマネジメントに役立てる学問。儲けではなく、リスクを避けて効率的なリターンを追究しているのが特徴。

> ストラクチャリング部門の過去と現在

過去　　　　　　　　　　　　　　　　現在

役所との折衝がメイン　→　金融工学を使って収益を生み出す部門

> ストラクチャリング業務のしくみ

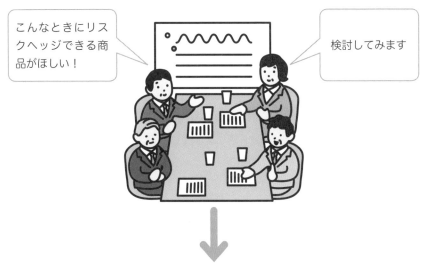

こんなときにリスクヘッジできる商品がほしい！

検討してみます

さまざまな商品を組み合わせて、顧客のニーズに
合致する商品をつくる

金利　　　為替　　　株価指数
　クレジット　　証券化商品など

金融工学を用いて、デリバティブ商品などを扱うストラクチャリング部門は、経済学部ではなく、理系出身の人が多い部門になっています。

Chapter6
09

資金を投じて自己売買を行う「ディーリング」部門

金融商品の販売や提供と並び、証券会社の収益を稼いでいるのが自己売買（ディーリング）部門。人気職であるディーラーはこれまで狭き門でしたが、中小の証券会社で契約ディーラーになる道もあり、間口が広がりました。

ディーリングは完全能力主義の世界

　ディーリング部門は、債券や株式などを証券会社の自己資金を用いて取引し、収益を上げる部門です。ある意味、「切った張った」の世界でもあり、リテール営業とはイメージがまったく異なる世界です。

　2008年のリーマンショックによる金融危機以降、投資銀行業務を主な業務とする外資系証券会社の収益回復に貢献しているのが、自己売買業務における収益です。外資系証券会社のディーラーの場合、自分の腕1つで高給を稼ぐ人も少なくありません。

証券会社のディーラーになるには

　ディーラーになるには証券会社に入社し、先輩ディーラーの仕事を見ながら一人前になっていくというのが一般的です。ただディーラーは人気職なので、狭き門であることも事実です。

　しかし以前に比べると、ディーラーになるための道は広がっています。募集件数は少ないものの、契約ディーラーとして中小証券会社に入社し、上げた収益のうち何割かをもらうという働き方もあります。実績を残せば、さらに好条件で同業他社に移り年収を上げることも可能です。

　ディーラーは、過去の実績やこれから収益を上げることができるかがすべてです。しかし一瞬の判断ミスで自社に大きな損害をもたらす可能性があるため、自己売買部門のリスク管理を行う職種の人気も高まっています。リスク管理部門では数学や金融工学の知識を駆使する必要があり、優秀な人材は同業他社からの引き抜きも多くなっています。

▶ 投資家別株式保有額の推移

下記の図を見てみると、証券会社が保有している株式の総額が増加しているのがわかります。新たな収益の柱となる自己売買業務に注力している証券会社が多いのです。しかし、大きな損失を抱える可能性もあるため、各証券会社では、自己売買に一定の制限を設けています。

（単位：10億円）

年度末	2010	2011	2012	2013	2014	2015	2016	2017	2018
個人	63,040	62,838	76,447	83,429	99,790	90,770	99,466	113,379	106,958
金融機関	48,575	49,007	57,843	65,309	90,484	83,587	94,060	106,614	98,199
投資信託	13,606	13,881	17,034	21,292	27,530	28,882	36,631	48,003	52,165
保険会社	20,017	18,707	21,468	23,042	29,010	24,345	26,654	28,951	26,477
外国人	83,037	81,030	105,849	137,377	182,337	154,457	174,730	201,944	181,244
証券会社	5,569	6,240	7,463	10,149	12,707	10,703	12,717	13,194	14,388

※金融機関からは年金信託、投資信託、保険会社を除く
※対象は外国銘柄を除く全上場銘柄
※上場会社の自己名義分は、各社が属する投資部門に含まれる
出典：東証証券取引所『FACT BOOK 2019』の資料をもとに作成

👉 ONE POINT

ディーリングはギャンブル？

　ギャンブル的な側面もありますが、ディーラーの役割は会社の利益を出すことだけではありません。マーケットに一定の流動性を与える役目も果たしているのです。流動性とは、売買のしやすさを意味します。市場に流動性がなければ、買い注文や売り注文が成立しなくなるのです。
　ディーラーは高い報酬を狙えることも事実です。特に外資系証券では、億単位の年収を稼ぐディーラーも少なくありません。しかし、常に収益を上げ続けるのは困難なので、長く続けるのは大変な仕事といえるでしょう。

Chapter6
10

市場に影響を与える
証券会社の「調査部門」

調査部門は、国内外の経済動向の調査や企業調査を行います。証券会社の一部門である場合と、系列会社として独立した経営を行う場合に分けられます。調査部門の情報はマーケットに影響を及ぼすこともあります。

経済調査や企業分析を行う調査部門

　証券会社の調査部門では、投資家や自社のトレーディング・セールス部門などへの情報提供を行っています。そして企業の株価について「買い」「売り」「中立」などの投資判断をすることも業務の1つです。調査部門に属しているのは、「エコノミスト」や「ストラテジスト」「アナリスト」と呼ばれる専門職です。

　調査部門のレポートは主に機関投資家に配布され、投資判断に役立てられます。また、個人向けの投資レポートを作成している証券会社もあります。これらのレポートは、支店などで働く営業員にとって、顧客に商品を提案する際の指標となります。レポートは業界別のものもあれば、為替など個別マーケットについて、またそれぞれの短期・中期・長期見通しもあり、幅広い観点から経済動向を予測して、提供しているのです。

　直接収益を上げる部門ではありませんが、証券会社にとっては、今後どういった商品を顧客にすすめていくかという指針になるため、とても重要な業務といえるでしょう。

　テレビや雑誌などのマスコミに頻繁に登場するアナリストやエコノミストも多く、彼らの発言によっては、マーケットに大きな影響を与えることもあるのです。

　調査部門はどの証券会社ももっているセクションですが、本体の一部として有している場合と、外部の研究機関として有している場合に分けられます。アナリストやエコノミスト・ストラテジストとして名前が売れればほかの証券会社への転職も容易になります。会社に頼らず、自分の実力だけで渡り歩けるので、やりがいのある職業だといえるでしょう。

調査部門のレポート
特に企業の収益力や経営状態を調査・分析したアナリストレポートは、機関投資家などの投資の参考にされている。

▶ 調査部門の業務

エコノミスト	ストラテジスト	アナリスト
外資系証券会社の場合、募集は、経済学の博士号取得者に限定されていることがある	証券アナリストや公認会計士、ファイナンスMBAなどの資格を保有していると有利	証券アナリストの資格が必須。現場で実務経験を積んだのち、適性に応じて配属される

▶ 提供する投資情報サイト（楽天証券の例）

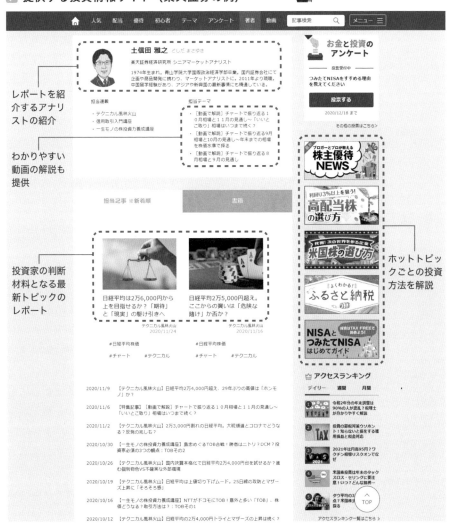

レポートを紹介するアナリストの紹介

わかりやすい動画の解説も提供

投資家の判断材料となる最新トピックのレポート

ホットトピックごとの投資方法を解説

証券会社の数字・統計の専門家「クオンツ」

クオンツは、quantitative（定量的・数量的）から派生した用語で、高度な数学的テクニックやコンピューターを使って、株式などの分析や予測をする専門家のことです。証券会社でも重要な役割を担っています。

クオンツの始まり

1980年代のアメリカでNASAのロケット工学を専攻した科学者が、量子力学などの手法を金融工学に取り入れたのがクオンツの始まりです。現在ではリスクマネジメントやデリバティブ取引など、さまざまな分野でクオンツの手法が用いられるようになっています。

クオンツ業務に携わるのは数学など理工系出身者が多く、ディーラーと同じように職人的なグループとして証券会社では認識されています。証券会社の調査部門には、クオンツアナリストと呼ばれる専門家がいて、過去の経済動向の分析や市場動向の予測を行っています。

クオンツは万能ではない

高度な数学的テクニックとコンピューターを駆使するクオンツですが、必ずしも万能ではありません。リーマンショック前の2007年8月のサブプライム問題のとき、市場で換金化の動きが強まり、大手金融機関のクオンツファンドが多額の損失を計上したことが話題になりました。クオンツは、金融危機や地政学リスクなどの突発的な動きには弱いのです。

しかし、AI（人工知能）などの発達により、突発的な動きにも対応できるようなシステムの開発が期待されています。膨大なデータを分析するクオンツとAIを始めとしたビッグデータ分析は相性がよく、金融取引への応用を期待する企業は増えているのです。市場取引のリスクや弱点を克服して高いパフォーマンスが維持できるように、クオンツの仕事はますます証券業界では重要視されています。

クオンツ
Quantsはquantitative analystの略で、定量分析の専門職という意味。高度な数学を用いた金融工学のスペシャリストで、計量的・統計的な分析を得意とする。

換金化
金融商品に回していた資金を現金に戻すこと。なお、現金に戻しやすいものを換金性が高いという。

クオンツファンド
定量分析をメインとして運用を行うファンド。クオンツファンドの運用では、人ではなくコンピューターが投資判断を行う。

> **クオンツはロケット工学から発展**

1980年代

ロケット工学を専攻していた数学者や物理学者が、宇宙開発費の削減の影響を受けてロケット開発から離れ、ニューヨーク大手証券会社や金融会社に転職。複雑な数学モデルを金融に導入したのがクオンツ（金融工学）の始まり

2020年

近年は、生み出された高度な数学的手法や数理モデルを活用し、デリバティブ取引やリスクマネジメントなど、さまざまな金融分野で用いられている。また、AIとの関連も注目を集めている

> **証券会社で活躍するクオンツ**

デリバティブクオンツ

デリバティブ商品の時価評価やデリバティブを用いたリスクヘッジのモデル構築がメインの業務となる。数学や理論物理学の知識が求められることが多い

クオンツエンジニア

デリバティブクオンツが作ったモデルを実際に運用するための環境（プログラミング）構築が主な仕事。近年は、AIを活用したプログラムの開発が盛んになっている

クオンツアナリスト

ほかの2つの職種と比べると、金融工学や数学の知識は低くてもOKだが、株価の計量的な予測などにこれらの知識を用いることがある。株価分析やレポートの発表が主な業務

Chapter6
12

顧客の信頼を高める
「カスタマーサポート」

総務や経理・人事など後方支援をする部署がバックオフィスです。バックオフィスは営業などのフロントオフィスの力を最大限に引き出すのが役割です。顧客をサポートするカスタマーセンターもバックオフィスの1つです。

カスタマーサポートセンターの役割

　顧客に近い立場でさまざまな応対業務を行うカスタマーサポートは、フロントオフィスに近いところに位置するバックオフィスといえるでしょう。

　カスタマーサポートセンターにはホームページ上での「Webサポート」と、コールセンターによる「問い合わせ窓口」があります。カスタマーサポートセンターでは取り扱いサービスの問い合わせや各種手続きの受付など、証券会社を利用している顧客や、これから口座開設をする人が、スムーズに手続きができるように各種サポートを行っています。

証券会社のコールセンターでの仕事

　証券会社のコールセンターでは、口座開設に伴う書類や手続き、取引画面の操作方法、株価の照会といった問い合わせに答えたり、クレームへの対応を行っています。コールセンターのなかでも問い合わせの多いのが、取引画面の操作方法です。操作方法が理解できない顧客に対し、電話越しでも丁寧に説明することがオペレーターの役割です。また新しいサービスや新商品が登場したときには、既存の顧客に電話営業することもあります。

　「商品のしくみが理解できなかった」、「おすすめされた商品が暴落した」といったクレーム対応をするのも、コールセンターの仕事です。詳細を丁寧に聞いて、必要に応じて関係部署と協力して解決していきます。

　証券会社のコールセンターでは金融知識が必要なため、証券外務員の資格を取ることが必要です。新卒育成の一環として、最初はコールセンターに配属する証券会社もあります。

▶ コールセンターの業務

口座未保有者の
口座開設の受付

各種、住所変更や
名義変更などの
事務処理の受付

取引画面の
操作方法について
の説明

クレームへの
対応やその後の
フォローアップ

新サービスや
新商品を既存顧客
に案内

最新の株価の案内
(実際の販売業務は
営業マンへ取り次ぎ)

▶ SBI証券におけるカスタマーセンター問い合わせ件数

お問い合わせ件数 ━━ 苦情の占める割合

(千件)　　　　　　　　　　　　　　　　　　　　　　(%)

年度	2014年度	2015年度	2016年度	2017年度	2018年度	2019年度
お問い合わせ件数	1,380	1,383	1,239	1,378	1,391	1,457
苦情の占める割合	0.34	0.51	0.53	0.72	0.52	0.43

出典:SBI証券

上図のように、SBI証券がカスタマーサービスで受ける問い合わせ件数の平均は、1日4,000件程度。それらを迅速に丁寧に解決するのがカスタマーサポートの使命です。コールセンターは、問い合わせの数が多いため、負担軽減のために、各社でAIチャットボットの導入などが進められています。

Chapter6
13

信用を維持する監視役
「法務」「コンプライアンス」部門

コンプライアンスとは「法令遵守」を意味します。トレーディング部門や営業部門が、きちんと法律や社内ルールを守ってビジネスを行っているかをチェックするのが「法務」や「コンプライアンス」部門です。

不祥事で会社の信用を落とすことを防ぐ

　バブル崩壊以降、証券会社に不祥事が頻繁に起こったことを受け、重要度を増してきたのがミドルオフィスに属するコンプライアンス部門です。コンプライアンス部門は、不祥事発生を未然に防ぐ役割があります。直接収益を稼ぎ出しているわけではありませんが、間接的に証券会社のビジネスを行ううえでとても重要な部門です。

　なお、証券会社におけるコンプライアンス（法令遵守）の体勢管理は、法務部門が受け持っています。証券会社の法務部門は金融商品取引法に基づき、提供するサービスや金融商品に不備がないかをチェックし、金融商品の開発・組成でも大きな役割を果たしています。

コンプライアンスの達成が難しい証券会社も

　米国の証券会社などではコンプライアンス部門のトップは会社のナンバー2の立場で、社長に対しても「ノー」と言える権限をもっているというのが一般的です。しかし日本の証券会社では管理部門が社長の下にあり、さらにその下にコンプライアンス部門の場合があります。それでは、管理本部からコントロールされる形になってしまいます。

　また小規模な証券会社では法務部に人員を割く余裕がなく、弁護士など外部の専門家に依頼している場合があります。その場合はコンプライアンスが脆弱なものになりがちです。

　日本の証券会社で、コンプライアンスが根付くにはまだまだ時間がかかりそうです。

▶ 法務部門の2大業務

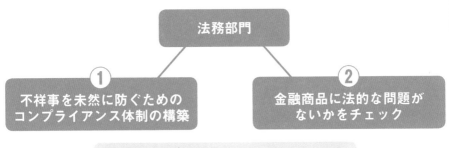

法務部門

① 不祥事を未然に防ぐための
コンプライアンス体制の構築

② 金融商品に法的な問題が
ないかをチェック

法務部門は2大業務を行うことで、会社が社会的信用を失うこと（レピュテーションリスク）から守っている

▶ 日本の証券会社のコンプライアンス管理体制

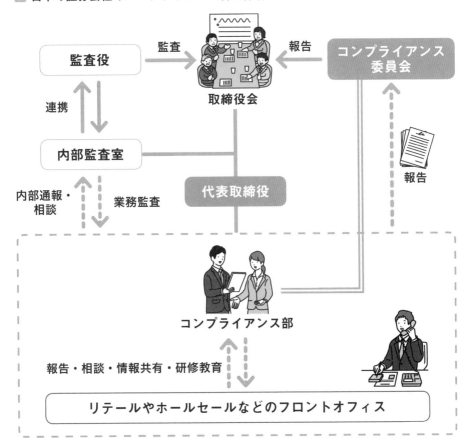

監査役

監査 → 取締役会 ← 報告

コンプライアンス委員会

連携

内部監査室

内部通報・相談 / 業務監査

代表取締役

報告

コンプライアンス部

報告・相談・情報共有・研修教育

リテールやホールセールなどのフロントオフィス

Chapter6
14

証券会社の生命線である「システム」部門

現在の金融商品取引の主流となっているのは電子取引システムで、これらは、顧客が取引証券会社を決める際の重要な要素の1つです。そのため、「システム部門」は今後、より一層重要なポジションになっていくでしょう。

証券会社の業績の命運を握るシステム部門

ネット証券を通じて株式取引を行っている個人投資家は、使い勝手のいいトレーディングシステムがあるかによって、ネット証券会社を決める傾向があります。

また、証券会社のホールセールでは、機関投資家向けの電子取引システムの提供を行っています。これらの電子取引システムを構築するのがシステム部門です。

使い勝手がよく、利便性の高い電子取引システムを提供すれば、多くの投資家は利用しようと考えます。そのため、多くのネット証券が、顧客に提供するシステムの開発に力を注いでいます。

顧客向けの電子取引システムだけでなく、社内用の顧客の取引履歴や顧客データを管理するためのシステム開発をしているのも、この部門になります。

> **システム**
> 証券会社のシステムには、証券やお金の出入りを管理したり、顧客データを管理したりする「バック」と、トレーダーのポジションやリスクを管理する「フロント」の2種類がある。

システム部門のエンジニアは高い報酬が得られることも

システムによって、証券会社の勢力図が変わってしまう可能性すらあります。年々、システム部門と開発をするエンジニアのウエイトは高まりつつあり、エンジニアの引き抜き合戦が激しくなっています。システム部門ではプログラムに対する知識は当然必要ですし、証券ビジネスについても理解しておかなければいけません。証券会社のシステムに精通しているエンジニアはまだ少数なので、能力的に優れている人であれば、より高い報酬で他社に転職できます。

最近では「TDCソフト」のように、証券会社でシステムを作って人たちが独立してトレーディングシステムの開発を行う専門会社を設立、その後、上場する例も出てきています。

▶ 証券会社ではさまざまなシステムと連携した業務を行っている

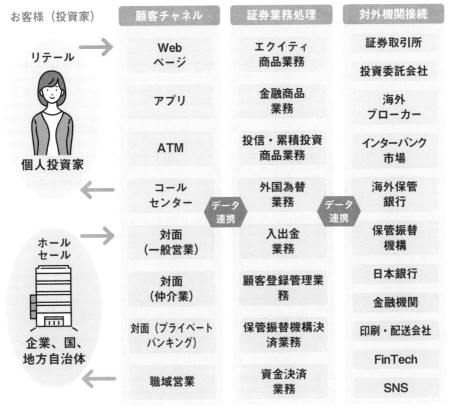

お客様（投資家）

顧客チャネル	証券業務処理	対外機関接続
Web ページ	エクイティ 商品業務	証券取引所
アプリ	金融商品 業務	投資委託会社
ATM	投信・累積投資 商品業務	海外 ブローカー
コール センター	外国為替 業務	インターバンク 市場
対面 （一般営業）	入出金 業務	海外保管 銀行
対面 （仲介業）	顧客登録管理業 務	保管振替 機構
対面（プライベート バンキング）	保管振替機構決 済業務	日本銀行
職域営業	資金決済 業務	金融機関
		印刷・配送会社
		FinTech
		SNS

リテール
個人投資家

ホール セール
企業、国、 地方自治体

データ 連携　データ 連携

出典：日興システムソリューションHPより作成

▶ システム開発人材が重視される時代に

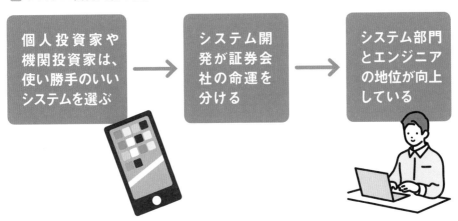

個人投資家や機関投資家は、使い勝手のいいシステムを選ぶ

→

システム開発が証券会社の命運を分ける

→

システム部門とエンジニアの地位が向上している

証券業界は、今も男社会のまま？

女性も活躍できる職場の整備が急がれる

　証券会社というと男社会のイメージが強いでしょう。しかし、現在の証券会社は一般職だけでなく、総合職でも多くの女性が活躍しています。

　特に高齢顧客のなかには、「相場環境を聞きたいから男性社員に代わって」という昔ながらの考えをもった人もいます。しかし主婦など女性の顧客も増えており、男性営業員に聞きにくいことも女性なら聞きやすいという人もいるのです。また、女性の営業のほうが対応は柔らかく、顧客に受け入れやすいというメリットもあります。

　最近は、証券業界をあげて女性の活躍を進める取り組みが始まっています。ただ、生え抜きの女性役員が誕生している企業もある一方、旧態依然の会社もあり、会社間での差は大きくなっています。

女性が活躍するための大手証券の取り組み

　大和証券では、女性活躍のために欠かせない労働時間の改革を行いました。2007年から19時前の退社を推進するようにしたのです。18時頃に帰れば、子供をお風呂に入れたり、掃除や洗濯をしたりする時間も確保できます。有給休暇も取りやすくした結果、大和証券グループでは2009年に女性役員が4人同時に誕生しました。働き方改革により、女性も男性と同じような条件で働けるようになったのです。

　野村證券では、2018年10月に1時間単位で有給休暇を取れる制度を導入しています。これにより、子供の体調不良などといった突発的な用事に対しても、数時間会社を離れることができるようになりました。

　日本証券業協会によると、2017年の協会会員企業の女性職員比率は約37％、女性管理職比率は11.7％でした。帝国データバンクが同年、全国2万3,112社（有効回答企業数9,979社）に対して行った調査では、女性管理職の割合は6.9％なので、他業界に比べると証券業界は女性が活躍しやすい環境が整っているといえるでしょう。男社会といわれた証券業界でしたが、その環境は確実に変わってきています。

第 **7** 章

支店証券マン
の仕事

証券会社のフロントオフィスは、全国各地にある支店
です。新人はまず支店のリテール営業から始め、キャ
リアを積み上げていきます。第7章では、そんな最前
線の現場である支店の1日のスケジュールや業務内容
を、それぞれの職種ごとに解説します。

Chapter7
01

支店全体の
スケジュールと動き

「証券会社は激務」と思っている人が多いようです。では、実際のスケジュールはどのようになっているのでしょうか。支店に勤める証券マンの1日の動きを見ていきましょう。

支店に配属された証券マンの1日

　一般的に支店に勤務する証券マンは、7時半〜8時頃に出社します。営業担当者は、朝の5時45分から始まる経済番組や日経新聞で、マーケット情報などを収集してから出社する人が多いです。マーケットの状況は常に変化しており、最新の情報を把握しておかないと始業直後から顧客に営業をかけることができないため、証券マンにとって情報収集に力を入れることはとても重要です。

　8時からは、支店に勤務する人全員での朝礼が行われます。支店の営業目標の進捗状況や本社からの伝達事項を確認し、マーケット環境や各商品の情報などを共有。その後、課やチーム単位で集まり、各個人の営業の進捗状況や朝礼の内容を確認します。9時になると日本の株式市場が始まるので、それまでに準備をします。9時にマーケットが開始すると、営業担当者は顧客に保有銘柄の状況を伝える電話をかけ、その後、商談を入れている場合は顧客先に移動しますが、ない場合は引き続き電話での営業を行います。新入社員は、担当顧客が少ないため、朝から飛び込み営業に行くこともあります。

　日本市場の前場の取引は11時半まで。その後は昼食ですが、顧客から電話がかかってくる可能性がある場合は、デスクで食事をします。後場は12時半に始まります。新人や若手社員は外交に出かけることも多い時間帯です。ベテランは引き続き電話で営業します。15時になると後場が終了。営業担当者は午後の外交に行きます。17時から18時頃に帰社すると、まずは持ち帰った書類の処理をして、その後、会議で当日の数字を確認したり、翌日の予定の報告を行ったりして1日が終了します。

前場／後場
日本の証券取引所で行われる午前（午前9時〜11時30分）の取引のこと。対して、午後から始まる取引（12時30分〜15時）は、後場という。

外交
顧客宅など支店の外に出て、金融商品の勧誘や受注などの仕事を行うこと。

▶ 1日の支店のスケジュール

7時半～8時	出社 各種マーケット情報の確認
8時～8時30分	朝礼・会議 支店の営業成績の共有など
9時～11時30分	前場取引の開始 顧客に電話営業など
11時30分～12時30分	昼休み
12時30分～15時	後場取引の開始 テレアポ、顧客に電話営業など
15時～18時	取引所の終了 外交にて金融商品の販売と勧誘
18時～	会議、帰社

👉 ONE POINT

証券マンに大切な情報収集の習慣

　証券マンの朝は、モーニングサテライト（テレビ東京系）を視聴することから始まります。さらに、朝食をとりながら日経新聞で気になるニュースを大まかにチェック。そして通勤は、朝早いため、ゆっくり座れることも多いので、じっくりと日経新聞を読み、会社につく前に主要ニュースはすべて確認しておきます。

　証券会社は帰りが遅くなることもありますが、仕事を家に持ち帰らないようにするのが基本です。家に帰ったら好きなことをして、気分転換もしますが、WBS（ワールドビジネスサテライト、テレビ東京系）を見て1日の経済ニュースをチェックしつつ、米国市場の動向を確認しておきます。

　常に最新情報を顧客に提供しなければいけないため、このような番組を見る習慣をつけることが、新入社員にとってはとても大切です。

Chapter7 02

若手社員の１日のスケジュール

支店全体の流れを把握できたところで、支店に配属された、若手社員のスケジュールを見ていきましょう。多くの証券会社の場合、新卒は支店に配属され、営業活動をすることが最初の仕事になります。

若手社員の１日のスケジュール（午前）

出社は7時半〜8時が一般的。そして、会社にくるまでに、日経新聞は必ずチェックします。会社についたら株式新聞などの業界紙に目を通します。さらに、海外のニュースをチェックして米国株式市場の動向などの最新情報を仕入れておきます。その日の相場動向と銘柄を確認しつつ、どういった商品を顧客に提案するのか戦略を練ります。

9時になると株式市場の前場取引がスタート。市場の動向を顧客に伝え、注文を受けます。電話はおよそ1日30件〜40件が目安。若手社員は担当する顧客数が少ないため、新規開拓の営業が中心になります。動きがない口座保有者に手紙を送ったり、訪問したりすることもあります。前場の取引は11時半までなので、その後は昼食をとって午前中の業務が終わります。

業界紙
証券業界においては、株式新聞と日本証券新聞が大手2紙と呼ばれ、日々の最新情報を入手する方法として知られている。かつては株式市場新聞（2009年4月廃刊）を合わせて大手3紙と呼ばれていた。

若手社員の１日のスケジュール（午後）

12時半になると後場の取引がスタートするので、顧客への電話営業を再開します。15時に午後の取引が終了するため、その後は外交に出かけます。なお、顧客先では仕事の話だけでなく、雑談も大切です。そうした話のなかから新たなビジネスチャンスになることもあります。ただし新しい提案を交え、顧客への資産運用アドバイスを欠かさないようにしないといけません。

外交からは17〜18時頃に社に戻ってきます。そして営業活動の成果や状況について全員でミーティングを実施。本日の営業成果と翌日の予定などを話し合います。そして営業活動やミーティングの内容を日報システムに入力し、上司に今日の業務を報告して退社します。

▶ 新人は新規開拓が主な仕事

新入社員

入社後は、新規顧客の開拓や、新規資金預け入れの勧誘などが、最も注力すべき業務になる

勧誘方法

電話・手紙
口座を保有しているものの、稼働していない顧客や、預け入れ額の少ない顧客へ電話や手紙などで営業をかける

飛び込み
担当するエリアを1件ずつ回り、飛び込み営業を行う。金融商品のパンフレットなどを渡し、その後長い付き合いになるよう都度フォローアップする

以前は飛び込み営業がメインでしたが、コロナ禍では電話での営業がメインになりつつあります。

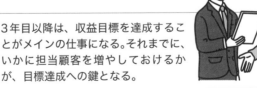

3年目以降は、収益目標を達成することがメインの仕事になる。それまでに、いかに担当顧客を増やしておけるかが、目標達成への鍵となる。

　証券会社のリテール営業は朝早いことが特徴です。夜は早めに帰り、しっかり睡眠をとって、翌日に疲れを残さないようにしなければいけません。

Chapter7
03

マネジャーの1日の
スケジュール

マネジャーの仕事は、課長なら課の収益、支店長なら支店の収益を管理することです。証券会社のマネジャーの1日を見ていきましょう。

証券会社のマネジャーの1日

　各部門の課長は7時には出社して、1日の予定の確認と課の収益管理を行います。支店長は8時頃に出社。課長は昨日の収益を支店長に報告します。その後、管理職だけで会議を行い、支店の収益と今日の予定をエリアマネジャーに報告します。

　9時に前場の取引の開始に伴い、支店全体で株式の売買を中心とした営業がスタートします。1日で最も株式市場が動くのは10時頃までです。それまでにある程度、支店の数字が出ている場合は、投資信託の営業を開始します。しかし、目標に対して進捗がよくない場合は、再び株式の中心とした営業に力を入れます。11時半に前場の取引が終了するので、食事をしながら後場の戦略を考えます。

　12時半から後場の取引が開始します。マネジャーは、営業担当者の外交に同行したり、得意先や大口先に電話して営業活動したりすることもあります。17時過ぎに営業担当者が外交から帰ってくるので、募集物の成約状況や営業マンからの報告を受けます。18時頃に課で会議をして、その日の収益報告と翌日の予定を確認してから帰宅するのが、1日のスケジュールです。

マネジャーは収益管理の責任者

　マネジャーの主な仕事は、支店や課の収益管理です。しかし、営業担当者の収益が達成できていない場合は、顧客先に同行するなどの営業活動を通して、目標達成できるようにフォローする必要があります。証券会社のマネジャーの地位になれば年収1,500万円を超えるような給料をもらえますが、数字に対するプレッシャーは営業担当者時代よりもさらにきつくなります。

エリアマネジャー
関東や中部、関西などのエリアに分かれ、それぞれのエリアを統括するマネジャー。エリアマネジャーは、役員クラス（執行役員）であることが一般的。

募集物
新たに発行される有価証券のこと。販売期間が定められている場合や有価証券の引受責任を全うするため、かなり勧誘に力を入れる必要がある。

▶ マネジャーの管理と報告体制

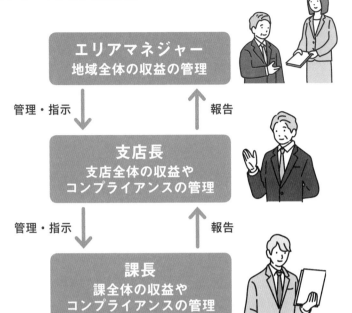

エリアマネジャー
地域全体の収益の管理

管理・指示 ↓　　報告 ↑

支店長
支店全体の収益や
コンプライアンスの管理

管理・指示 ↓　　報告 ↑

課長
課全体の収益や
コンプライアンスの管理

管理職になるのは早くて30代後半から40代にかけてです。また、管理職になるとほぼ既存顧客の営業がメインになります。

▶ 年代別の平均収入

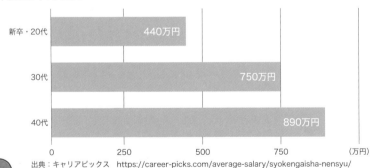

新卒・20代	440万円
30代	750万円
40代	890万円

0　　250　　500　　750　　(万円)

出典：キャリアピックス　https://career-picks.com/average-salary/syokengaisha-nensyu/

証券会社の規模によって異なりますが、課長職で1,500万円、支店長で2,000万円を超えるような年収をもらえる会社もあります。

Chapter7
04

証券マンに課される目標とは

かつての証券会社の営業は、できるだけ個人投資家に株を売買させて取引回数を増やすのが仕事でした。現在は規制に伴い、このような取引は減少していますが、証券マンには、数字以外にもたくさんのノルマがあります。

証券会社のノルマ

投資家が株や投資信託などの金融商品を購入するのは、資産を増やすためです。しかし、証券会社の目的は金融商品を売買してもらい手数料を得ることなので、顧客が購入した商品で利益が出ても、損失が生じても直接的には関係ありません。かつては、なるべく多くの回数、顧客に取引してもらうことで、収益を上げようとしていました。しかし、このような顧客の意向を無視した、さまざまな不祥事が発覚したことから、過度な勧誘や回転売買は顧客保護のために規制されています。

このような強引な取引をしていた理由は、証券会社にはノルマがあるからですが、営業担当者に課せられるのは収益（売買委託手数料）のノルマだけではありません。新規口座開設数や預かり資産の増加、債券やIPOなどの個別商品の販売数、セミナー集客といったさまざまなノルマがあるのです。証券会社や営業担当者の年次によって比重は変わりますが、ほぼすべての営業担当者が、これらのノルマの達成を目標に営業活動を行っています。

回転売買
顧客に金融商品の売買を頻繁に繰り返させること（P.82参照）。金融取引業者が、顧客からの手数料収入を目的として行う場合は、過当取引という禁止行為になる。

ノルマ
営業担当者に課せられるやるべき仕事の目標。目標の達成率によって、営業担当者自身の評価やボーナスが変わる。

過剰なノルマ営業から顧客重視の姿勢へ

ノルマ営業は証券業界内でも疑問の声が出ているため、顧客本位で考える営業へとリテールの姿も変わってきています。そのため、あまりノルマという言葉も耳にしなくなってきました。ただし、「目標」や「予算」といった言葉でノルマは存在しています。ですが、以前と同じような強引な営業を行うと顧客は離れていきますし、最悪の場合、金融庁から処分を受けることもあります。収益を上げつつ、業界のノルマ重視の体質をどう変えていくかが今後の課題です。

▶ 回転売買は過当勧誘・過当取引にあたる禁止行為

過当取引

過当取引とは、顧客口座の投資金額等に対して、金額・回数において過剰な取引を実行すること

過当勧誘

過当勧誘とは、顧客の投資資金額等に対して、ふさわしくない過当な数量の証券取引の勧誘を行うこと

▶ リテール営業のノルマ（目標）

- 収益（売買委託手数料）
- 新規口座開設数
- 預かり資産（新規資金）の取り込み
- 個別商品の提案（IPO・債券など）
- セミナーの周知・勧誘

収益目標が最優先されますが、そのほかにも達成すべきノルマが多いのが証券会社の営業の特徴です。さまざまなノルマを並行してこなせるのが、一人前の営業マンです。

👉 ONE POINT

個人金融資産1900兆円のゆくえ

　日本銀行が発表した2020年6月末の家計の金融資産残高は1,883兆円。ただ「現金・預金」が1,031兆円と54.7%を占め、株式等は9.2%、投資信託は3.6%しかありません。預貯金を保有しているのは、郵便局と銀行です。証券会社としては、なんとかこの部分を自分たちのフィールドに持ち込もうとしています。しかし、現在は銀行でも投資信託や外国債券まで扱えるようになっています。リテールビジネスでは、銀行が攻めている形になっているのです。

　ですが、リスク商品の扱いでは証券会社がのほうが経験があります。NISAやiDeCoなど非課税制度ができたことで、若年層を中心に資産運用に対する関心は高まっています。コンサルティング能力を高め、貯蓄から投資への流れを作っていかなければいけません。今後は、証券会社が攻める立場になっていくでしょう。

重要視される
新規顧客の開拓営業

回転売買が禁止されている現在は、新規開拓がとても大切な仕事です。特に、新入社員や若手社員が中心になりますが、ベテランも収益目標を達成させながら、常に新規開拓をしなければいけません。

証券会社の新規開拓の方法

証券会社に入社した新人のほとんどは、顧客の新規開拓が最も重要な仕事です。新規開拓の営業は、飛び込み営業もしくは電話で行います。

飛び込み営業に関しては、担当するエリアを1件ずつ訪問します。資料を鞄に詰め込み、どんな天気や気候でも新規開拓をするために歩き回らなければいけないので、肉体的なきつさがあります。1日100件近く訪問することもあるので、体力勝負の仕事といえます。精神面でも、まったく相手にされないことがほとんどなので、心が折れないようにしないといけません。

電話の場合は、1日に100件や200件などと目標を立てて、ひたすら電話をかけ続けます。電話の場合は、訪問のアポ取りがメイン業務です。肉体的には楽ですが、こちらもほとんど断られるため、新規開拓は精神的にきつい仕事といえます。

新規開拓でも定期的なフォローが大切

話を聞いてくれた人には、自己紹介をしてマーケット動向や株式の銘柄情報などを定期的に提供してフォローを行います。また、お礼の手紙を書くことも多いです。これは年配の顧客ほど効果的で、特に手書きの手紙は読んでもらいやすいため、新規開拓のツールとしてよく使われています。

新規開拓の方法には色々ありますが、自分なりの方法を見つけることが大切です。闇雲に飛び込み営業や電話を繰り返していても、それだけでは顧客を獲得できないので、どうすれば顧客に会ってもらえるのか、話しを聞いてもらえるかを考え、試行錯誤を繰り返すことが大切です。

飛び込み営業
コロナ禍で営業も変わりつつある。野村證券では2021年度入社の新入社員を1年間コールセンターに配属する予定。対面営業が難しくなるなか、今後は、コールセンターでの営業がメインになると考えられている。

▶ 新規開拓の流れと手法

新規開拓

回転売買が規制されたことにより、同じ顧客に対して、売買を繰り返してもらうことが困難に。そのため、新規の開拓および新規資金を入金してもらうことが大変重要な業務になっている

電話

1日100件〜200件が目標。
顧客に会って話を聞いてもらうための、アポ取りが中心となる

飛び込み営業

1日100件回ることが目標。
企業の社長や役員に対して、資産状況の確認や金融商品の提案を行う

名刺交換

証券会社によっては、新人のあいだ、毎日100枚以上の名刺交換をすることが目標として定められている場合がある

話を聞いてもらえた場合

マーケット動向や株式の銘柄情報などを定期的に提供してフォローを行うことで、顧客の信頼を勝ち取る

断られた場合

一度断られた顧客へ何度も電話するなどの過度な勧誘は禁止されているため、リストから削除し、一定期間を置くようにする

飛び込み営業でも電話営業でも8〜9割は断られます。そのため、何度断られても諦めない精神力が必要です。常に新しい顧客を見つけようと努力する姿勢も大切です。

マーケットの動きを常にチェック！

証券会社のトレーダーの1日のスケジュール

証券会社で働くトレーダーは、株式や債券を売買して資産運用しているバイサイドのクライアント（顧客）に対して情報提供を行い、利益を出せるような運用の手助けがメイン業務になります。

トレーダーの朝は支店の従業員よりも早い？

　近年の証券会社の収益を支える、ディーリング業務で取引を行っているのが、トレーダーと呼ばれる人たちです。

　トレーダーの1日は、一般の会社員よりも早い時間からスタートします。6時には起きて前日のニューヨーク市場の動きをチェック。7時には出社して情報を集め、推奨銘柄などを選んでいきます。その後、アナリストやエコノミストと本日の相場動向について情報交換し、**バイサイド**のファンドマネージャーと取引方針の打ち合わせをします。

　そして株式市場の取引が始まると、個別銘柄やマーケット全体をリアルタイムでチェックするため、トレーダーの1日は、ほとんど休む暇がありません。マーケットは常に動いているので、どんな状況になっても冷静に判断し、損失を出さないようマーケットの動きを事細かにチェックしなければいけないのです。

トレーダーの朝は早いが残業は少ない

　11時半から12時半のあいだは、株式市場が止まっているので食事を取ります。後場が開始すれば、前場と同じようにマーケットの動きをチェックしながら銘柄を取引します。

　15時に午後の取引が終了したら、その日に取引した売買の伝票整理などを行います。そしてトレーディング部門（ディーリング部門）全体で売買動向になどについて共有し、業務が立て込んでいなければ18時頃には帰社します。

　トレーダーの業務開始は、ほかの社員よりも早いですが、残業はあまりない部署といえるでしょう。ただ、個別に会社や同業他社が行う勉強会などに参加することはあります。

バイサイド
保険会社や資産運用会社、信託銀行など株式や債券を運用している会社。証券会社のことは、セルサイドという。

> ■ トレーダーの１日のスケジュール

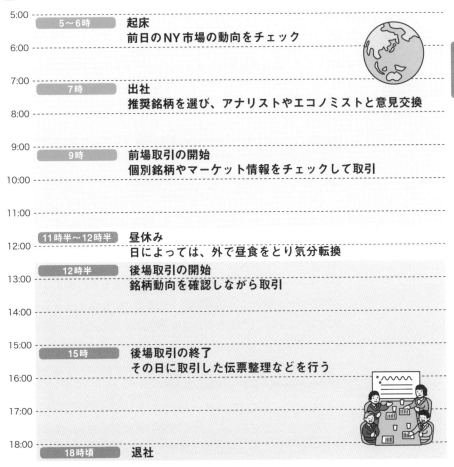

5～6時	起床 前日のNY市場の動向をチェック
7時	出社 推奨銘柄を選び、アナリストやエコノミストと意見交換
9時	前場取引の開始 個別銘柄やマーケット情報をチェックして取引
11時半～12時半	昼休み 日によっては、外で昼食をとり気分転換
12時半	後場取引の開始 銘柄動向を確認しながら取引
15時	後場取引の終了 その日に取引した伝票整理などを行う
18時頃	退社

> ■ トレーダーは情報交換が大切

調査部門
アナリスト

エコノミスト

相場動向
についての情報の
交換

トレーダー

取引方針
の共有

ファンド
マネージャー

Chapter7
07

気になる新人の転勤、異動のタイミング

証券会社に新卒で入社する場合、ほとんどが総合職として採用されます。総合職は将来の幹部候補として、リテール営業だけでなく、ほかの部署などで、さまざまな職種を経験していくことになっています。

証券会社は転勤が多いって本当？

証券業界は転勤が多い業界です。通常、２〜５年程度に１回という証券会社が多く、定年まで勤めると仮定した場合、少なくとも５〜６回は転勤や異動を経験することになります。

なお、国内証券のなかには、全国どこにでも転勤するという通常の総合職と、自宅から通える範囲内の転勤ですむエリア総合職の２種類に分けて、採用を募集している場合もあります。総合職のほうがベースとなる給料は高くなるので、収入を重視するなら総合職を選択し、全国転勤が嫌な場合はエリア総合職を選ぶとよいでしょう。

部署異動を希望するなら、営業成績を上げる

証券会社のメインはリテール営業であり、調査部門やホールセール部門を希望する人も、ほとんどの新人がリテール営業に配属されます。その後、他部署に異動したいと思ったときのために、リテール営業である程度の結果を残しておく必要があります。月間優秀賞をとったり、社内のキャンペーンで上位をとったりするなど、結果を残すことで、ほかの部署へ異動したいというアピールを聞いてもらいやすくなります。

一方で、「営業が向いていないので他の部署に移動させてください」、「営業が嫌なので内勤にさせてください」といった理由では異動は難しいです。

また営業成績を出しながら、証券アナリストなどの資格を取得することも大きなアピール材料になります。営業しながら勉強することは肉体的・精神的に辛いことですが、自分の希望の部署へ異動するためには、日々の努力や研鑽が必要なのです。

▶ 証券会社の転勤・異動事情

新人時代
ほとんどの新人がリテール営業（支店やコールセンター）に配属され、顧客への営業を行う

2～5年後
一般的には、2～5年で異なる支店へ異動する。リテールで結果を残し、昇進していく道もある

金融業界では、同じ担当者が同じ支店で長期間働くことによる、顧客との癒着や社員の不正防止のために、定期的な異動が行われている

他部署への異動もありえる
ホールセール　マーケット部門　調査部門　など他部署に異動したい場合は、リテール業務でそれなりの成績を残しておくことが大切。また、必要な資格取得などもアピール材料になる

▶ 2種類の働き方がある

総合職
○全国どこにでも転勤する可能性がある
○ベースとなる給料がエリア総合職より高い
○他部署への異動もできる

エリア総合職
○自宅から通える範囲内の転勤のみ
○ベースとなる給料が総合職より低い
○エリア内の勤務に限定されるため、出世ポストが少ない

👍 ONE POINT

エリア総合職という働き方が広まる？

　大手総合証券などでは「エリア総合職」を導入しています。通常の総合職では、転勤で全国の支店を渡り歩き、最終的に本店に上がってくるというパターンでしたが、エリア総合職には全国規模の転勤がありません。原則、最初の配属地で定年まで勤めるのです。

　今後、成果給が定着してくると、営業員は「顧客が自分についてくるかどうか」という考え方が強くなってきます。そのため、セールス担当者と顧客の結びつきは深まっていくでしょう。通常の総合職のように2～3年で担当が変わるのではなく、10年～20年と長い付き合いをしていくために、エリア総合職は今後も広がっていくと考えられます。

証券会社の離職率は高いって本当？

入社後3年以内に約3分の1が離職

証券業界は、新入社員のときから年収が高く、ほかの業界と比べると、高い給与をもらえるいい職業といえるでしょう。しかし、証券会社は離職率が高い職場でもあります。証券会社の入社後3年以内の離職率は35％程度といわれています。なぜ、多くの人が証券会社を辞めてしまうのでしょうか。

離職率が高い理由はなに？

高給が見込めるのに多くの人が辞めてしまう理由の1つに「ノルマ」があります。特に新人から若手時代のリテール営業は、新規開拓がメインの仕事ですが、顧客になって商品を購入してくれるのはたったの1％程度です。ほとんど断られてしまうので、精神的にきつい仕事といえます。さらに、月に〇〇件以上新規開拓しなければいけないというプレッシャーや、同期などとの競争に疲れて離職してしまう人も多いのです。

また、株式や投資信託などの金融商品は、大きな損失が出ることもあります。相場が下落しているようなときでも、証券マンは金融商品を売らなければいけません。本当に自信をもっておすすめできる金融商品でない場合、疑問をもちながら顧客に商品を販売することになります。

近年は、ある程度社員の要望を聞き入れてくれるようですが、転勤が多いことも退職理由の1つとしてあげられます。特に全国展開している証券会社では、数年単位で縁もゆかりもない地域に配属になることもあり、さらに数年後には、別の地域に転勤を命じられてしまいます。家族がいる社員にとっては、負担になるでしょう。

こういった理由から、精神的にきつくなり、会社を去っていく人が多いのです。離職後は別の金融会社に転職する人が多いですが、営業力を活かして不動産業界やコンサル業界に転職する人もいます。また、P.78で紹介した独立系フィナンシャル・アドバイザー（IFA）も転職先として人気が高まりつつあります。

第 **8** 章

グローバルな視野が
必要な証券業界

経済がグローバル化するなか、証券業界に関わる人が
知っておくべきなのは、日本市場のことだけではあり
ません。世界にはさまざまな市場があり、互いに影響
を与え合っています。第8章では、世界の主要な証券
取引所とその特徴を解説していきます。

Chapter8 01

世界に影響を与える
3大証券取引所

世界3大証券取引所と呼ばれているのが、ニューヨーク・ロンドン・東京の3つの証券市場です。この3大証券取引所の状況によって経済が動くといっても過言ではありません。

世界3大証券取引所と急伸する中国市場

ニューヨーク・ロンドン・東京が「世界3大証券取引所」と呼ばれている理由は、かつて売買代金で世界のトップ3で、世界経済の主要都市の位置づけだったからです。しかし近年は、上海証券取引所の時価総額や売買代金が伸びており、すでに売買代金は東京証券取引所を上回っています。金融市場を世界規模で見た場合、中国の存在感はどんどん大きくなっているのです。

ニューヨーク証券取引所はニューヨーク市のウォール街にあり、「NYSE」という略称で呼ばれています。ダウ・ジョーンズ社が算出・公表している「ダウ工業株30種平均（NYダウ）」が代表的な株価指数です。

ロンドン証券取引所は1801年に設立。株式だけでなくデリバティブや債券の取引も行われています。ロンドンは、ニューヨークと並んで世界最大の金融街としての地位を確立しています。しかしイギリスはEUから離脱したため、今後はロンドンに拠点を置く証券会社や投資銀行はイギリスから離れ、フランスやドイツに移ってしまう可能性があります。その場合、ロンドンの金融街としての現在の地位を失う可能性も示唆されています。

日本市場に大きな影響を与える海外市場

世界にはそのほかにも、シドニーや深セン（中国）、TMX（カナダ）など、さまざまな証券取引所が存在しています。これらは、互いに影響を与え合っています。そのため、各国の経済指標、同時多発テロ、EU離脱問題といった出来事は、日本の市場にも大きな影響をもたらします。証券業界に勤める人は、常に世界のマーケットの状況を理解しておかなければいけません。

上海証券取引所
1990年11月26日に設立、同年12月19日に営業を開始した、上海にある証券取引所。深セン証券取引所と並び、中国の2大証券取引所の1つ。

NYSE
New York Stock Exchangeの略。世界一上場審査が厳しいといわれている米国最大の証券取引所。全世界の株式売買高のほぼ半分を占めているため、大きな影響力をもつ。

ダウ工業株30種平均
正式名称は、ダウ・ジョーンズ工業株30種平均。1896年から算出が始まった米国の代表的な株価指数。輸送および公共事業を除いた、主要業種の代表的な30の優良銘柄で構成される平均株価指数のこと。

▶ 主要取引所の株式時価総額推移（2015～2020年5月末）

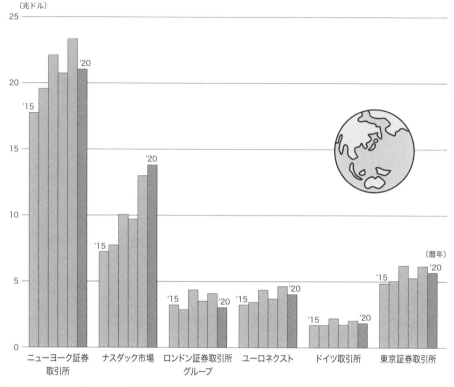

（兆ドル）

ニューヨーク証券取引所　ナスダック市場　ロンドン証券取引所グループ　ユーロネクスト　ドイツ取引所　東京証券取引所

出典：野村資本市場研究所より作成

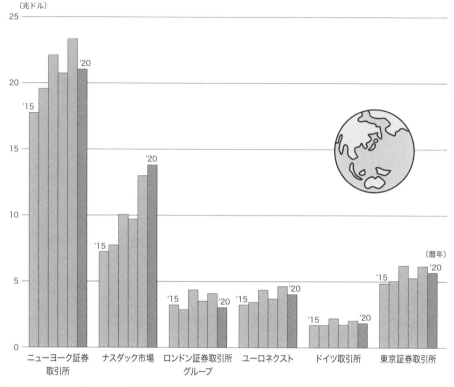

▶ 2016年6月24日EU離脱の国民投票が日本市場に与えた影響

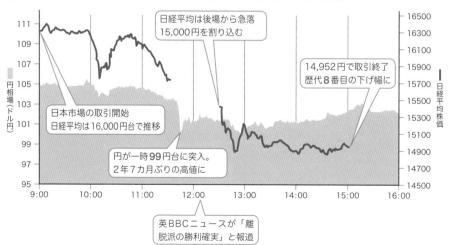

日経平均は後場から急落
15,000円を割り込む

14,952円で取引終了
歴代8番目の下げ幅に

日本市場の取引開始
日経平均は16,000円台で推移

円が一時99円台に突入。
2年7カ月ぶりの高値に

英BBCニュースが「離脱派の勝利確実」と報道

Chapter8
02

そのほか知っておきたい
世界各地の証券取引所

証券取引所のなかで、最も時価総額が大きいのはニューヨーク証券取引所です。米国以外だと、中国の成長が目立ちます。各証券取引所の開始時間は時差の関係で少しずつズレているため、24時間どこかで取引が行われています。

世界各地の証券取引所の特徴

　世界各地の取引所の代表として、最低限知っておきたいのがナスダック（米国）、上海、香港、ユーロネクスト、ボンベイです。

　ナスダックの時価総額は約1,485兆円で、ニューヨーク証券取引所の2,251兆円についで世界第2位。ナスダックは、1971年に設立された世界最大の新興企業向けの株式市場で、マイクロソフトやアマゾン・ドット・コム、フェイスブックなど世界的な大企業が上場しています。

　上海証券取引所の時価総額は約525兆円で、中国最大の規模を誇ります。アジア企業の急成長を反映し、2009年に売買代金で東京証券取引所を上回り、アジアでは首位、世界で3位になっています。現在は、香港証券取引所と連携を強めていて、上海・香港ストック・コネクトというサービスも開始されました。なお、香港証券取引所はハンセン指数という株価指数が有名で、HSBCやレノボ、中国工商銀行などの有名な企業が上場しています。

　ユーロ圏の取引所であるユーロネクストの時価総額は約438兆円。2006年6月には、ニューヨーク証券取引所を運営するNYSEグループと合併しています。

　そして、注目しておきたいのが、1875年に設立されたインド最大の証券取引所であるボンベイ証券取引所。もともとは、ムンバイ証券取引所という名称でしたが、2005年8月に名前を変えました。実は、東京証券取引所よりも長い歴史をもっているボンベイ証券取引所ですが、今後のインド経済の発展に伴い取引量が増えると予想されています。

　証券会社では、営業開始直後に、顧客から海外市場の状況について問い合わせが入ることも多いです。海外市場については、

上海・香港ストック・コネクト
2014年11月17日に導入された、上海証券取引所と香港証券取引所の相互間で行われる人民元建て株式取引のこと。これにより、規制が厳しかった上海市場への投資が香港経由で可能になった。

ユーロネクスト
2000年9月にパリ証券取引所・ブリュッセル証券取引所・アムステルダム証券取引所が合併して設立された。

▶ 世界の代表的な取引所と株価指数

地域	国名	証券取引所	代表的な指数
オセアニア	豪州	オーストラリア証券取引所	S&P/ASX200 指数
アジア	日本	東京証券取引所	日経平均株価（日経225）
	韓国	韓国取引所	韓国総合株価指数（KOSPI）
	中国	香港証券取引所	香港ハンセン指数（HKHSI）
		上海証券取引所	上海総合指数 （SSE Composite Index）
	シンガポール	シンガポール取引所	シンガポールST 指数
	インド	ボンベイ証券取引所	SENSEX 指数
北米	アメリカ	ニューヨーク証券取引所	S&P500 指数
		ナスダック証券取引所	ナスダック指数
	カナダ	トロント証券取引所	S&Pトロント総合
欧州	イギリス	ロンドン証券取引所	FTSE100 指数
	ドイツ	フランクフルト証券取引所	DAX 指数
	フランス	ユーロネクスト・パリ	CAC40 指数
	オランダ	ユーロネクスト・アムステルダム	AEX 指数
		ユーロネクスト・ブリュッセル	BEL20 指数
	ベルギー	ユーロネクスト・リスボン	PSI20 指数

▶ 各国の株式市場の取引時間（日本時間）

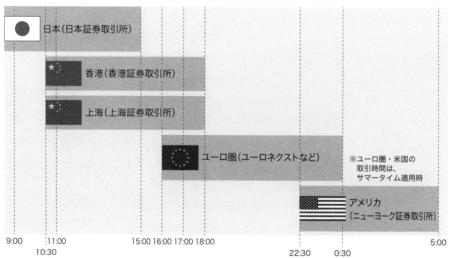

blombergなどのニュースサイトやWBS（ワールドビジネスサテライト）といった番組から入手しておきましょう。

第8章 グローバルな視野が必要な証券業界

大恐慌やブラックマンデー、リーマンショックなど

金融の歴史を揺るがした金融危機ってなに？

過去から現在に至るまで、何度も金融危機が起きています。典型的な金融危機の発端は、バブル崩壊によって金融機関が巨額の損失を被ることですが、それ以外の要因でも起こりえます。過去の金融危機を知っておきましょう。

1929年10月24日
世界大恐慌の発端となった、1929年10月24日のニューヨーク株式市場の大暴落は「ブラック・チューズデー」と呼ばれている。

1920年台後半に発生した世界大恐慌

　世界大恐慌は、1929年10月24日にニューヨークの株式市場が大暴落したことによって起こった世界的な経済恐慌です。恐慌の時期は国によって異なりますが、1929年に始まり、1930年代後半まで続きました。発端となった米国では、1932年までに株価は9割、GDPは3割も下落。第2次世界大戦を引き起こした要因ともいわれています。

世界同時株安を引き起こしたブラックマンデー

　大暴落で有名なのが「ブラックマンデー」です。1987年10月19日の月曜日に発生し、ダウ工業株30種平均は、1日の取引で508ドル（22.6％）も下落。その後、アジアやヨーロッパにも広がり、世界同時株安になりました。翌日20日には、日経平均株価も大暴落。下落幅は3,836円、下落率は14.90％と、それぞれ現在までのワースト記録となっています。

近年起こった最大の金融危機リーマンショック

　リーマンショックは、2008年9月に米国の投資銀行リーマンブラザーズが経営破綻したことをきっかけにして、世界的に起こった金融危機のことです。リーマンブラザーズはサブプライムローン（低所得者向け住宅ローン）を証券化して販売しましたが、住宅バブルが崩壊。総額約6,000億ドル（約63兆円）という巨額の負債を抱えて倒産しました。金融市場には激震が走り、世界の株式市場は暴落。リーマンショック前には12,000円台をつけていた日経平均株価も、同年10月28日にはバブル後の最安値となる6,994円まで下落しました。

▶ リーマンショックが発生した原因

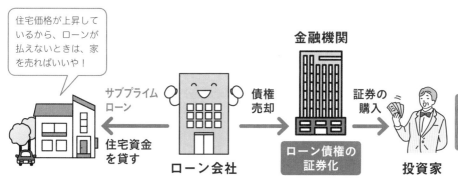

▶ 日経平均株価の下落率と下落幅記録

順位	年月日	日経平均終値	下落率	
1	1987年10月20日	21,910.08	−14.90%	ブラックマンデー
2	2008年10月16日	8,458.45	−11.41%	リーマンショック
3	2011年3月15日	8,605.15	−10.55%	東日本大震災
4	1953年3月5日	344.41	−10.00%	スターリン大暴落
5	2008年10月10日	8,276.43	−9.62%	リーマンショック

Chapter8 04

世界市場をけん引する米国の証券市場

世界の金融市場をリードしているのは、時価総額で世界トップの米国です。代表的な指標はS&P500指数とナスダック指数。この２つをチェックするだけでも、世界のマーケットの動向を把握するのに役立ちます。

米国市場の特徴

米国の主な株式市場には、ニューヨーク証券取引所（NYSE）とナスダック（NASDAQ）があります。この２つを合わせると、2020年5月の時価総額は約34兆8,486億ドル。全世界の市場の中でシェアは約42％と圧倒的な規模を誇っています。

また、米国市場は上場に際しての企業のディスクロージャー制度と会計基準が厳格であることから、投資家にとっての信頼性が高いことが魅力です。また、証券会社の自主規制機関のFINRA、訴訟制度など、投資家保護の制度が充実していることも投資家が安心して投資できる要因になっています。

２つの代表的な証券取引所の違い

2020年5月末のニューヨーク証券取引所とナスダックの上場企業数はそれぞれ3,366社、3,133社。米国市場に上場している主要企業には、アップル、マイクロソフト、フェイスブックなど世界的な一流企業がそろっています。

ニューヨーク証券取引所は、世界最大の証券取引所です。ロンドン証券取引所に次いで、世界で2番目に古い証券取引所でもあります。

ナスダック証券取引所は、ベンチャー企業やIT企業といった新興企業の銘柄が中心になっています。また、世界で初めてコンピューターネットワークを使って株式取引を行えるようになった市場です。ニューヨーク証券取引所と比べると、上場基準が緩いため、上場しやすいという側面をもつ一方で、上場廃止になる企業も多いです。ナスダックにはグローバル企業が数多く上場しており、日本企業では日産自動車、任天堂などの銘柄が上場してい

FINRA
Financial Industry Regulatory Authorityの略。2007年7月、NASD（National Association Of Securities Dealers、全米証券業協会）とNYSE（New York Stock Exchange）の自主規制部門の統合により設立。米国のすべての証券会社が加盟している非政府規制機関。

国際取引所連盟加盟国における取引所時価総額シェア
(2020年5月末・ドル換算ベース)

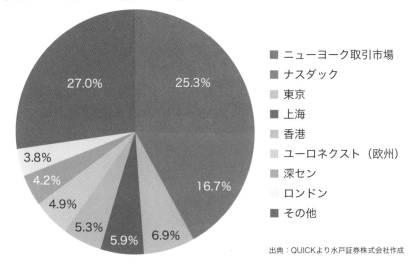

- ■ ニューヨーク取引市場
- ■ ナスダック
- ■ 東京
- ■ 上海
- ■ 香港
- ■ ユーロネクスト（欧州）
- ■ 深セン
- □ ロンドン
- ■ その他

27.0%　25.3%　16.7%　6.9%　5.9%　5.3%　4.9%　4.2%　3.8%

出典：QUICKより水戸証券株式会社作成

米国の代表的な株価指数の特徴

	ダウ平均株価指数	S&P指数	ナスダック指数
対象銘柄数	30	500	3133
対象市場	ニューヨーク証券取引所 ナスダック証券取引所	ニューヨーク証券取引所 ナスダック証券取引所 NYSE American	ナスダック証券取引所
特徴	単純平均株価方式	時価総額加重方式	時価総額加重方式
算出開始日	1896年5月26日	1957年3月4日	1971年2月5日
算出基準値		10	100
単位	ドル	ポイント	ポイント
特徴	超有名大手企業の株価指数	大手企業中心に、米国株式市場の時価総額の80％をカバーする株価指数	新興企業の株を中心とした株価指数

ます。そのため、日本の株価にも影響を与える大きな要素となっています。

　米国株は、少額から投資できるといったメリットがあるため、個人投資家のあいだで人気が高まっています。また、米国企業に投資する投資信託なども常に人気がある商品です。証券マンにとって米国市場の情報を知ることは必須といえるでしょう。

Chapter8
05

老舗の名門企業が 多い欧州の証券市場

世界で最も古い証券取引所がある欧州市場。その規模は米国に次ぐ2位となっています。米国は世界の最先端をいく企業が多く上場していますが、欧州は伝統的な企業が多いという特徴があります。

欧州の株式市場の特徴

欧州連合
1993年に発効したマーストリヒト条約（欧州連合条約）によって設立されたヨーロッパの政治や経済における国家共同体。2021年2月現在、27カ国が参加している。主に経済分野において共同体内の統合を進め、1999年には通貨統合（ユーロ導入）などを実現。ただし、ユーロについてはすべてのEU加盟国が導入しているわけではない。

欧州の株式市場は、米国に次いで売買規模が大きい株式市場です。イギリスは欧州連合（EU）から離脱しましたが、欧州経済を牽引する欧州連合（EU）は、「ヒト、モノ、カネ、サービス」の自由化によって国際競争力を高めるという共通の目的をもってできたものです。

欧州は昔から自国内だけではなく、他国との貿易で発達した地域です。米国の株式市場は、前節で解説したように革新的な技術を提供する最先端の企業が多いですが、欧州は国際競争力の高い企業や、歴史が古く信頼のあるブランド企業が多数上場しているのが特徴です。日本国内でも馴染みがある企業としては、食料品のネスレや自動車のBMW、フォルクスワーゲン、ルイヴィトンなどがあげられます。

世界でも最も古い証券取引所がある

欧州の株式取引の中心となる証券取引所が、ロンドン証券取引所、ドイツのフランクフルト証券取引所、そしてフランスのユーロネクストです。なかでも、ロンドン証券取引所は、世界で最も長い歴史をもつ有名な証券取引所です。そもそもは、150人の証券ブローカーがコーヒーハウスで会員制のクラブを結成して証券取引を行うようになり、そのクラブが1773年に証券取引所と改名したことがロンドン証券取引所の起源とされています。

欧州株式市場の値動きを知る指数としては、ロンドン証券取引所に上場している売買高上位100銘柄の値動きを示した「FTSE100指数」のほか、ドイツの「ドイツ株価指数（DAX指数）」、フランスの「CAC40」があります。

▶ 欧州の代表的な取引所と特徴

市場	ドイツ取引所	ロンドン証券取引所	ユーロネクスト
取引時間	現地時間：9:00〜17:30 日本時間：17:00〜1:30 （サマータイム 16:00〜0:30）	現地時間：8:00〜16:30 日本時間：17:00〜1:30 （サマータイム 16:00〜0:30）	現地時間：9:00〜17:30 日本時間：17:00〜1:30 （サマータイム 16:00〜0:30）
取引通貨	ユーロ	ポンド	ユーロ
上場企業数	499社	2,498社	1,255社
時価総額	約255兆円	約502兆円	約495兆円
代表的な指数	DAX指数	FTSE100指数	CAC40指数
主な銘柄	シーメンス、ダイムラー、フォルクスワーゲン、BASF、SAP	HSBCホールディングス、BP、ボーダフォングループ、リオ・ティント、グラクソ・スミスクライン	トタル、サノフィ、BNPパリバ

ロンドンのEU離脱により、2020年12月31日をもってロンドン金融街からEU単一市場にアクセスする権利は失われ、EUは域内の投資家に英国からBNPパリバなどの企業の株式を取引することを禁止しました。今後のロンドン取引所の取引に要注目です。

👍 ONE POINT

取引証券所は
合併による競争力強化を図っている

　証券取引所も国や地域を越えた合併が進んでいます。金融において重要な地位を占めている欧州ですが、ユーロネクストの存在感は強いものがあります。ユーロネクストは、パリ・ブリュッセル・アムステルダムなどにある証券取引所が取引システムを統合した企業。2006年6月1日には、ニューヨーク証券取引所を運営するNYSEグループと合併を発表し「NYSEユーロネクスト」が誕生しました。この合併により、NYSEグループとユーロネクストは経営基盤を盤石なものにしたのです。

　日本取引所グループ（JPX）も、東京商品取引所の上場商品を大阪取引所に移して総合取引所を誕生させましたが、仮に中国の上海・深セン・香港の3取引所が合併するようなことがあれば、規模で大きな差をつけられます。そのとき、どのような対応をするのか今後の動きに要注目です。

日本の取引規模を猛追する中国市場

中国は世界第2位の経済大国になり、世界経済における存在感を増しています。株式市場も急成長を遂げ、世界の株式市場に大きな影響を与えるようになっています。しかし、海外から投資しにくい市場でもあります。

中国の株式市場

中国の株式市場は、中国本土市場と香港市場に分けられます。中国本土市場は、上海と深セン市場の2つの取引所があります。上海証券取引所は1990年に、深セン証券取引所は1991年に営業が開始され、国内投資家向けのA株（人民元建て）と外国人投資家向けのB株（外貨建て）の2つの市場に分けられました。そして1993年に香港証券取引所に中国本土企業が上場して、H株市場も始まったのです。上海証券取引所は中国企業の急成長を反映し、2009年に売買代金で東京証券取引所を上回ってアジアでは首位、世界で3位になりました。時価総額も2020年5月末時点で約525兆円と東京証券取引所についで世界4位です。

取引所ビジネスが大きくなるにつれて、中国の証券業界も著しく成長しています。中国の金融や産業界はグローバルスタンダードに慣れていないといわれて来ましたが、2000年代後半から急速に世界レベルに近づきつつあります。各国も中国の金融市場の躍進を認めざるを得ない状況になっています。

知っておきたい中国の証券会社

中国の証券業界内では、トップの中信証券がけん引役となり、ほかの証券会社が追随する形となっています。2020年4月には中信証券と中信建投証券が合併を検討との報道がありました。この中国国内最大級の2社が合併すると、時価総額で米ゴールドマン・サックスを上回る巨大企業が誕生します。

瑞銀証券にも注目です。UBS系として知られる瑞銀証券は、アンダーライティング業務で急成長しており、株式・債券の引受額としては、中国国内シェアの7割を占めています。

H株
香港証券取引所に上場している中国企業の株式。登記場所も資本も中国本土であることが特徴。H株は、主要市場である「メインボード」と中小成長企業向けの「GEM（グロース・エンタープライズ・マーケット）」のいずれにも存在する。

世界4位
上海・深セン・香港の3市場を合計すれば、日本の株式市場の規模を圧倒的に上回る。

レッドチップ
香港証券取引所に上場している中国企業の株式。H株とは異なり、資本は中国だが、登記は香港の企業であることが特徴。

インド国立証券取引所
1992年に設立。ボンベイ証券取引所とならんで、インドの2大証券取引の1つである。代表的な株価指数はS&P CNX Nifty。上場しているインド株は、インド在住でなければ投資ができない。

中国の株式市場

海外の投資家でも投資可能

※上海A株市場、深センA株市場の一部の銘柄については、制度の枠内で海外の個人投資家でも取引が可能

日本を除くアジアの株式市場の規模比較（2020年8月末）

	新規上場企業数	上場企業数	時価総額	売買代金
上海証券取引所	440	1,627	5,255,242	4,428,569
香港証券取引所	55	2,482	4,726,662	1,627,571
うちGEM	5	377	13,340	3,284
インド国立証券取引所	4	1,923	1,777,291	648,878
韓国取引所	15	2,283	1,423,077	1,513,533
シンガポール取引所	3	715	612,117	120,863
うちカタリスト	2	215	6,673	2,278
台湾証券取引所	3	958	1,193,720	519,224

※時価総額と売買代金は、2020年8月末の為替レートで円換算（単位：万円）

出典：野村資本市場研究所

Chapter8 07

中国の手が伸びる香港市場と 停滞が続く韓国市場

前節で解説した通り、香港市場は中国企業の存在感が高まっており、海外投資家の規制緩和など中国政府による介入も始まっています。一方の韓国市場は、停滞が続いています。

中国の影響力が増す香港市場

香港証券取引所は、香港で唯一の証券取引所です。東証1部や2部に当たる「メインボード」と新興企業が上場する「GEM」という2つの取引所があります。ここでは、中国本土で事業展開している企業を「H株」、中国資本の香港企業の株を「レッドチップ」と呼んで区別しています。香港証券取引所は上海証券取引所と相互接続しており、2012年にロンドン金属取引所（LME）を買収。2020年5月時点の時価総額は約472億円と、上海証券取引所の525億円に迫る勢いとなっています。

香港株式市場の大部分を占めているのは、中国本土の国有企業ですが、香港でも中国の国有企業に共産党委員会を設置する動きが広がっています。これは、共産党が国有企業を掌握するということ。そのため、証券最大手の中信証券、銀行最大手の中国工商銀行、石油・ガス大手の中国石油化工など多くの企業が定款を変更しています。また、香港では中国本土企業の資本勢力が拡大しています。

韓国市場は長引く低迷から抜け出せるのか

韓国市場は、ドル建ての時価総額でアジア5位。しかし、長期間の低迷が続いています。現代自動車やLG、サムスン電子など名だたる企業が世界を席巻してきたにも関わらず、何年間も低PERの水準で推移しているのです。韓国の代表的な株価指数であるKOSPI（韓国総合株価指数）の時価総額の半分以上が、韓国10大財閥によって占められていますが、大財閥は政治家との癒着、配当の少なさ、複雑な企業構造などで投資家の怒りを買っているのです。

共産党委員会
中国本土企業に対し、中国政府は定款で共産党委員会の役割を規定するように命じている。

資本勢力
中国本土の投資家は、香港の不動産に殺到しているほか、上海・深センと香港の株式相互取引制度を利用して香港株を買いあさっている。

PER
Price Earning Ratioの略で、株価が割安か割高かを判断する重要な指標。時価総額÷純利益、もしくは、株価÷一株当たり利益（EPS）で算出される。

韓国10大財閥
サムスン・ヒュンダイ・SK・LG・ロッテ・錦湖アシアナ・コーロン・韓進・ハンファ・斗山が韓国10大財閥と呼ばれているグループ企業。

▶ 日本を除くアジアの主要取引所の株式売買代金推移（2015〜2020年5月末）

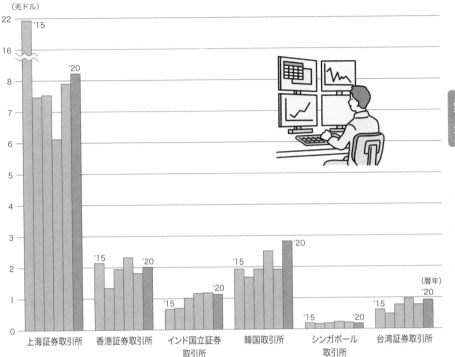

（兆ドル）

出典：野村資本市場研究所より作成

▶ 韓国市場は停滞ぎみ

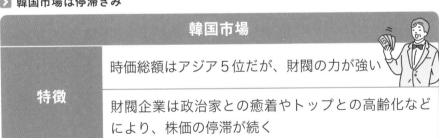

韓国市場	
特徴	時価総額はアジア5位だが、財閥の力が強い
	財閥企業は政治家との癒着やトップとの高齢化などにより、株価の停滞が続く

　韓国市場が低迷から抜け出すには、財閥トップの若返りとともに、物言う株主（アクティビスト）の登場による変革が必要だといわれています。財閥創業者の子息たちが会社を引き継ぐのを改革の好機と投資家は見ていますが、現在のところ、変革のペースは遅く小規模にとどまっています。

Chapter8
08

注目を集めるASEAN市場

ASEAN市場の最大の特徴は、近年、急速な経済成長を遂げていることで、第2の中国ともいわれています。これは、豊富で若い労働力がASEAN経済をけん引しているから。新たな投資対象として注目を集めています。

ASEANとは、どの地域を指す？

ASEAN
東南アジア諸国連合（Association of South-East Asian Nations）。インドネシア・タイ・マレーシア・シンガポール・フィリピン・ベトナム・ミャンマーなど10カ国が加盟している。

ASEANとは、東南アジア地域の国が加盟する地域協力機構のことです。人口は6億人を超え、今後もさらなる経済成長が期待できる市場として有望視されています。

ただ、ASEANは発展段階や経済規模が大きく異なる国で構成され、多様性に富む市場です。今後、市場の多様性がどのように変化していくのか、その過程でASEANが抱える課題はなにかを考えていく必要があるでしょう。

ASEANの株式市場の特徴

ASEANの主要な取引所は、シンガポール取引所・タイ証券取引所・マレーシア取引所、ジャカルタ取引所（インドネシア）、ホーチミン証券取引所の5つです。

ASEANの人口はすでに6億人を超えていますが、2025年には7億人を超えると予測されています。また、配当利回りの高い銘柄が多いため、値上がり益（キャピタルゲイン）だけでなく、配当利回り（インカムゲイン）も狙えるのが魅力の1つです。

投資対象国を見てみると、インドネシアは人口が2億人を超えて世界第4位の人口が魅力。また、石油や銅などの豊富や資源をもち、石炭の輸出量は世界トップクラスです。シンガポールは、世界的な中継貿易港で、金融センターとしての地位も確立しています。また、タイは自動車大手や部品会社の業績が好調。世界遺産やビーチリゾートもあり、観光立国としても有名です。

これらの国は、今後も人口の増加や産業の発展が期待されているため、将来的な成長の恩恵を受けられる市場として注目を集めています。

▶ ASEANの国別人口の見通し

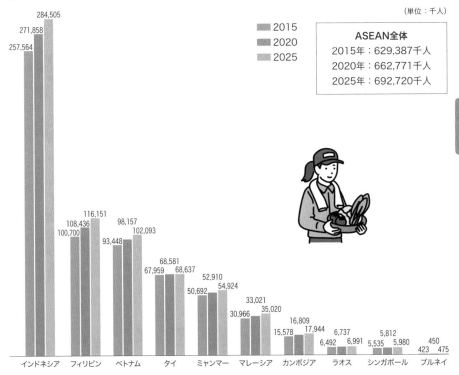

（単位：千人）

凡例：
- 2015
- 2020
- 2025

ASEAN全体
2015年：629,387千人
2020年：662,771千人
2025年：692,720千人

国名	2015	2020	2025
インドネシア	257,564	271,858	284,505
フィリピン	100,700	108,436	116,151
ベトナム	93,448	98,157	102,093
タイ	67,959	68,581	68,637
ミャンマー	50,692	52,910	54,924
マレーシア	30,966	33,021	35,020
カンボジア	15,578	16,809	17,944
ラオス	6,492	6,737	6,991
シンガポール	5,535	5,812	5,980
ブルネイ	423	450	475

出典：ジェトロ

▶ 主要なASEAN投資対象国の特徴

国名	投資対象国としての注目ポイント
インドネシア	LNG（液化天然ガス）、石油、パーム油、銅など豊富な資源をもち、石炭の輸出は世界トップクラス。世界第4位の人口による消費の拡大に期待できる
シンガポール	世界的な中継貿易港であり、金融センターとしての地位も確立している。ASEANの物流・金融の中心である
タイ	自動車産業中心に成長している。また、遺跡等の世界遺産や多くのビーチリゾートが存在し、観光立国としての側面もある
マレーシア	公平な地域発展や経済成長の増進に注力している。世界トップクラスの生産量であるパーム油などの天然資源が豊富にある
フィリピン	英語が公用語であるため、欧米企業のアウトソーシング拠点を目指している。海外出稼ぎ労働者からの外貨送金はGDPの下支え要因になっている

出典：https://www.smtam.jp/fund/pdf/_id_140854_type_k.pdf#page=3 より作成

GAFA中心にIT産業に流れ込む資金

そもそもGAFAって どういう意味?

　GAFAとはIT業界トップに君臨する4つの巨大企業であるGoogle(グーグル)、Apple(アップル)、Facebook(フェイスブック)、Amazon(アマゾン)の頭文字をとった略称です。Microsoft(マイクロソフト)と合わせて「GAFAM」と呼ばれることもあります。

　米国株式市場では、これらの巨大IT企業に資金が集中しています。2020年の5月には、GAFAMの時価総額は約5兆3,000億ドル(約560兆円)に達し、東証1部の上場企業の総額(約550兆円)を初めて上回りました。わずか5社の時価総額が東証一部に上場している約2,170社の合計を上回ったのです。

資金の一極集中には いびつさも残っている

　GAFAMは社会インフラに近づきつつあるサービスを提供しているのが強み。コロナ禍でもインターネット通販やテレワークなど、変容した生活様式のなかでも勝ち組になっているのです。不況下でも企業や消費者は社会インフラへの投資を抑えるのは難しく、GAFAM各社の業績を支えています。

　2020年はコロナ禍で自動車やエネルギー関連株が大きく下落するなか、IT関連株はプラス圏で推移しています。対面経済の消費低迷という逆風もIT大手には順風になっているのです。

　ただし、GAFAMの上昇には別の要因もあります。新型コロナウイルスの感染拡大による経済危機を乗り越えようと、各国の政府や中央銀行は積極的な財政政策と金融緩和を行っています。その結果、行き場を失ったマネーが、業績悪化懸念の少ないGAFAMなどのIT企業に流入している側面が大きいのです。資金の一極集中を危ぶむ声も市場では出てきています。

　IT化やAIの技術が日々進むなかで、豊富な知識をもつIT企業が金融インフラやサービスを提供しようとしています。そのため、GAFAMなどのIT企業は、今後金融業界の脅威になると予想されています。

第9章

証券業界の
課題と未来

ここまで解説してきたように、収益減に悩む証券会社
も多い証券業界ですが、それ以外にもさまざまな課題
と向き合っています。第9章では、市場環境の変化に
対応を迫られる証券業界の未来について解説していき
ます。

Chapter9 01

野村證券が進める構造改革

「日本の証券業界のガリバー」と呼ばれた野村證券が業績悪化に苦しみ、構造改革に取り組んでいます。証券業界をリードする野村證券は、どのような改革を行っているのでしょうか。

野村ホールディングスの構造改革

野村ホールディングスは、2019年4月に構造改革策を発表しました。この構造改革の主なポイントは、①店舗を統廃合して全体の2割にあたる30店強を減らす（個人営業部門）、②欧州の金融商品売買関連部門のコストを半分に削減（海外部門）、③法務や財務など11の部門を6部門に集約という3点です。これらの施策で2022年3月期までの3年間で海外10億ドル（約1,100億円）、国内300億円のコスト削減につなげる方針です。

この構造改革の背景には、2019年3月期の収益が大幅に低下したことがあげられます。リテール部門とアセットマネジメント部門はそれぞれ5割前後の減益、さらに長引く金融緩和政策による低金利で債券売買のトレーディングの収益も激減。さらに、2008年に買収したリーマン・ブラザーズの欧州・アジア事業の収益があがらず「のれん代」を減損処理したことで、1,004億円の連結最終赤字に転落しました。

赤字額が膨らんだのは採算性が悪化した部門への対応が遅れたためです。個人の証券取引は、手数料が安いネット証券での取引が主流になっています。野村證券はメイン顧客だった層の高齢化が進んでいて、こういった顧客は保有している株式を売却する動きを見せています。そのため、野村證券は、リテールの営業ではなく、収益性が見込める分野に経営資源を集中させようとしているのです。

のれん代
M&Aの際に発生する、「時価で評価した相手企業の純資産額」と「買収価額」との差額。M&Aの場合に限って、貸借対照表の資産に計上される。

構造改革を進めた結果、決算は好調に

これらの構造改革の途中ですが、野村ホールディングスの2020年3月期の最終損益は2,169億円の黒字になりました。また、

▶ 野村ホールディングスの構造改革とは

対象	主な内容
個人営業部門	店舗を統廃合し、首都圏を中心に全体の約2割にあたる30店舗強を減らす
	顧客の求めるサービス水準に応じて、営業員6,900人を対象に配置転換（富裕層に手厚い人員配置を行う）
	既存サービスのオンライン化
海外部門	欧州の金融商品販売関連部門のコストを半分に削減
	米国市場、中国市場に注力
管理部門	財務、法務などの11部門を6部門に集約

▶ 野村ホールディングの業績は伸び悩んでいた

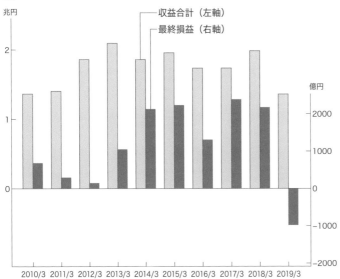

兆円

収益合計（左軸）
最終損益（右軸）

億円

※米国会計基準。2019年3月期は4-12月期実績の掲載

2010/3　2011/3　2012/3　2013/3　2014/3　2015/3　2016/3　2017/3　2018/3　2019/3

2020年4-6月の純利益も前年同期比2.6倍の1,425億円となり、四半期ベースでは過去2番目に高い利益水準になっています。

　しかし、北村CFOはコストの削減計画について7割強が進捗したものの、コロナ後の市場環境の変化を見据え、好決算のなかでも構造改革を進めるとしています。

純利益

純利益とは、企業が得た収入（経常利益）からすべての費用（法人税・住民税）を引き、最終的に残った利益のこと。決算書では「当期純利益」や「税引後当期利益」と記載される。

Chapter9
02

進まない日本の投資教育

NISAやiDeCoの導入をきっかけに、投資家の裾野を広げようと証券会社はセミナーなどを通じ、ライフプランニングや資産運用に関する投資教育に力を入れています。しかし、貯蓄から資産形成への流れは起きていません。

広がる投資教育

企業型DC
確定拠出年金（Defined Contribution plan）のうち、企業が掛金を毎月積み立てし、従業員（加入者）が自ら年金資産の運用を行う制度。運用成績によって将来受け取れる退職金・年金が変動する。

証券会社による、投資や資産運用に関するセミナーなどが増えています。また、企業型DCを導入している企業に対しては、従業員が適切な資産運用をできるよう、事業主が投資教育を実施するよう義務づけられています。

貯蓄から資産形成へ
貯金ではなく投資等の資産運用の必要性を伝えるために、2001年から日本政府が掲げた「貯蓄から投資へ」を引き継ぐ2016年からのスローガン。

しかし、政府が推し進める「貯蓄から資産形成へ」という方針に対して、日本人の保有する金融資産はあまり変わっていません。2020年6月時点の日本の各世帯が保有する金融資産の合計額は現預金の比率が5割を超え、株式や投資信託などのリスク資産の割合は1割強にとどまっています。投資教育は盛んになっていますが、正しい資産運用が広まっているとはいえないのです。

受講側は「儲かる方法を教えてくれ」「値上がりする株が知りたい」など、短期で儲かる方法を知りたがるという傾向があります。つまり、「儲かる銘柄や手法の指南」が投資教育、という発想をもつ人が多いのです。しかし、日本政府が推し進める「資産形成」は長期・分散・積立投資でじっくりと資産を形成するという意味あいです。今後は単なる投資術ではなく、長期・分散・積立投資といった正しい投資手法を教えていく必要があります。

悪徳事業者についてもきちんと学ぶ

投資助言
投資についての助言や相談をする行為。投資家に助言をしたり、投資家から資金を預かって投資一任契約をしたりするには、金融商品取引法に基づいた登録業者でなければならない。

昔から証券業と誤認させる悪徳業者はたくさんいます。上場していない未公開株の話や、きちんと登録を受けていない業者による投資助言などがよくある事例です。証券会社が実施する投資教育では、金融や経済全般の知識、投資については教えていますが、金融商品取引法についてや証券業を語る悪徳業者がどのような違法行為をしているのかも伝える必要があるでしょう。

▶ 政府の掲げる「貯蓄から資産形成へ」に対する具体的な課題

| ① 証券市場の信頼向上のためのインフラ整備 | ② 魅力ある投資信託の実現 | ③ 税制改革 | ④ 投資家教育 |

▶ 欧米では、家計資産におけるリスク性商品の割合が高い

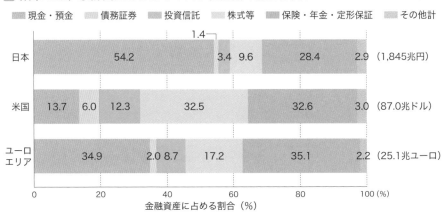

現金・預金　債務証券　投資信託　株式等　保険・年金・定形保証　その他計

日本：54.2　3.4　9.6　1.4　28.4　2.9　（1,845兆円）

米国：13.7　6.0　12.3　32.5　32.6　3.0　（87.0兆ドル）

ユーロエリア：34.9　2.0　8.7　17.2　35.1　2.2　（25.1兆ユーロ）

金融資産に占める割合（%）

出典：日本銀行調査統計局「資金循環の日米欧比較」データはいずれも2020年3月末現在
※「その他計」は、金融資産合計から、「現金・預金」「債務証券」「投資信託」「株式等」「保険・年金・定型保証」を控除した残差

🖐 ONE POINT

どのようなセミナーが証券会社で実施されているの？

　P.26で解説した「2,000万円問題」が1つの契機となり、ネット証券を中心に、NISAやiDeCoの利用者や積み立て投資を実践する人が着実に増えてきています。

　そのため、近年、金融機関各社が個人向けに行っている投資教育は、「ライフプラン」「積極的運用」「資産防衛」などの目的別に、資産配分や投資手法をどうしたらいいのか、といった多角的なアプローチのセミナー開催などが多く、人気を博しています。

　その一方で、「株の売買が好き」という客層も一定数いるため、どの銘柄が注目・有望かといった内容や目的（積極的に増やす・守る）別に資金の振り分けを教育するセミナーもあります。業界が思っている以上に、個人の投資家は資産運用に注目し始めているといえるでしょう。しかし、その一方で、将来を見据えた投資をする人としない人の差が開いているも事実です。資産運用に興味のない人にどのようにアプローチするかが、今後の証券業界の課題といえるでしょう。

Chapter9
03

ポスト・アベノミクス戦略の模索が続く

リーマンショック以降、株式市場の低迷が続いていましたが、2012年のアベノミクスによって、株式市場は回復。しかし、安倍政権は終わり、菅政権に変わりました。証券業界のポスト・アベノミクスの戦略を見てみましょう。

アベノミクスの終わり

　2020年8月28日、安倍首相が辞意を表明し、歴代最長の安倍政権が終わりました。長期政権を支えたのが経済政策のアベノミクスです。これは、①大胆な金融政策、②機動的な財政政策、③民間投資を喚起する、という成長戦略を掲げ、デフレの脱却と持続的な経済成長を目指していました。その結果、就任当時に1万円前後だった日経平均株価は、一時2万4,000円台まで回復、2020年12月においては、2万7,000円台に乗せてきています。

　しかし、5％だった消費税を2014年4月に8％、2019年10月には10％に引き上げたものの、デフレから完全に脱却したわけではなく、成長戦略の成果も見えていません。菅政権になっても日本銀行の黒田総裁の任期が2023年4月まであることから、大きな政策の変化はないと見られています。

証券業界のアベノミクスでの戦略

　アベノミクス相場により為替は円高から円安へ、株式市場は株安から株高に転じ、不況から活況に転じました。証券業界ではアベノミクスを契機として、それまでの富裕層から自分で取引を行うセルフ層まで幅を広げたのです。さらに、NISAやiDeCoといった20～30代といった若い世代の投資を促すための制度ができました。そこで、証券業界では、リスクの高い商品を投資家に勧める短期売買中心の営業から、長期での資産形成を促すような営業姿勢に変わってきています。セルフ層はネット証券中心の取引が多いですが、今後は大手・準大手証券でも、セルフ層にムリのない範囲で税制優遇制度を使った投資をすすめる傾向が強まっていくでしょう。

▶ 安倍政権の経済対策

大胆な金融政策	機動的な財政政策	民間投資を喚起する成長戦略
金融緩和で流通するお金の量を増やして、デフレから脱却	約10兆円規模の経済対策予算によって、政府が自ら率先して需要を創出	規制緩和によって、民間企業や個人が真の実力を発揮できる社会へ

持続的な経済成長（富の拡大）を目指す

▶ 安倍政権発足時からの日経平均株価の推移

株価は右肩上がりに！

Chapter9

04

金融シームレス化が加速している

以前の金融業界では、銀行・保険・証券といった業態を合わせた「金融の一元化サービス」が課題でした。しかしIT化が進み、今ではスマホ1つで金融取引のほぼすべてが行える時代になりつつあります。

金融一元化の時代に突入している？

金融持株会社の解禁以降、銀行・保険・証券などの業態の垣根はなくなりつつあります。そして、金融持株会社を軸とした金融コングロマリット化は、今後ますます加速していくと見られています。さらに、IT化やスマートフォンの普及で一元化取引は実現可能になりつつあります。その結果、資金移動や各種支払いだけでなく、株やFXなどの取引がパソコンだけでなくスマートフォンでも簡単にできるようになりました。

しかし、IT技術の発展とともにコンピュータウイルスなどサイバー犯罪の問題も出てきました。金融機関では顧客のパスワードを盗もうとする悪質なフィッシングサイトに悩まされています。IT化は便利な反面、ハッキングや詐欺のリスクもあるので、安全面の整備・強化という新たな課題とも向き合っています。

金融サービスのシームレス化とは

スイープサービス
金融機関に預けている資金などを別の金融機関の取引に利用できるサービスのこと。

銀行と証券の一元化サービスは「スイープサービス」と呼ばれます。これを使用すると保有する銀行口座にある資金を用いて、他金融機関で株式や投資信託を購入することができます。さらに保険業との連携が進めば、今以上にスムーズな金融のシームレス（継ぎ目のない）サービスが提供できるようになるでしょう。

大手の野村證券や大和証券をはじめ、そのほかの証券会社でも持株会社である銀行を中心とした金融のシームレス化は進んでいるといえます。しかし、取り扱う金融商品の規模が大きくなっただけで顧客の信頼を得られるわけではありません。一方では、地場証券を筆頭に証券業のみに注力する会社もあるのです。

▶ スイープサービスのしくみ

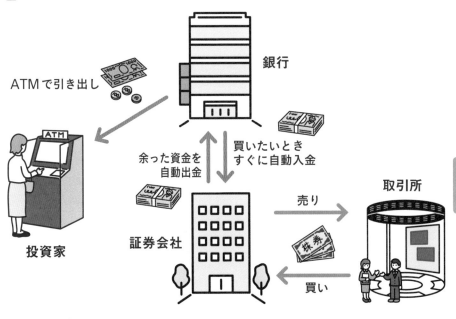

▶ スイープサービスと一般的な入金の違い

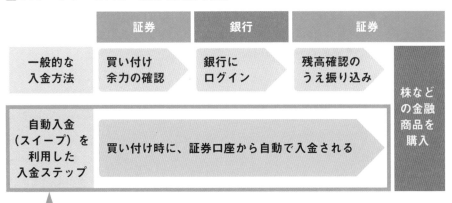

	証券	銀行	証券	
一般的な入金方法	買い付け余力の確認	銀行にログイン	残高確認のうえ振り込み	株などの金融商品を購入
自動入金（スイープ）を利用した入金ステップ	買い付け時に、証券口座から自動で入金される			

おすすめ！

スマートフォンが普及したことで、顧客がアクセスするシステムの一元化が進んでいます。1台のスマートフォンで銀行・証券・保険の3業種すべてにアクセスできるようになる時代も近いでしょう。

Chapter9
05

証券業界で起きている
AI革命とは

AI（人工知能）の発展が目覚ましい昨今ですが、証券業界でもAIの活用がブームになっています。これからの証券業界は、AIによってどのように変わっていくのでしょうか。

AIは証券会社の働き方を変えるのか

　証券市場ではAI化が進み、これまで人中心のトレーディングからコンピュータによるトレーディングに大きく変化しています。米ゴールドマン・サックスは、2000年には600人いたトレーダーが、なんと2017年には2人にまで減少しました。その一方で、システムエンジニアの採用が急増しています。

　こうした流れは、リテール営業の方面にも及ぶと考えられています。AI技術が発展すれば、営業担当者の主観が全く入らない科学的な分析や投資が可能になります。しかし、投資するのは人（顧客）です。高齢者中心にコンピュータの判断だけに従うというのは、信用できない、嫌だという人も多いようです。そのため、証券業界はAIの活用と営業担当者の金融知識の強化という2つの点を強化することが、今後大切になってくるでしょう。

AIの活動範囲は広がっていく

　以前から、機関投資家向けにはAIを使った売買システムの提供が行われていました。例えば野村ホールディングスは、2016年4月からAIを使って5分先の株価を予測するシステムを導入しています。コンピュータが株価や出来高などに応じて、自動的に株式売買を繰り返すアルゴリズム取引をしている機関投資家にシステムを提供していたのです。

　2020年6月にはマネックス証券がAIによる日本株の株価予測サービスの提供を開始しました。AIが投資テーマに関連する銘柄を選び、1カ月後の株価が上がるか下がるかを予測してくれます。株式投資で銘柄選びや売買タイミングに困っている人に向けて訴求しています。

アルゴリズム取引
アルゴリズム取引の利用については、証券会社が提供する複数の執行ストラテジー（アルゴリズム）から、機関投資家が自分に合うものを選択する方法が一般的。その後は、システムが自動的にタイミングや数量を決めて売買注文を繰り返してくれる。

▶ マネックス証券AI銘柄ナビの特徴

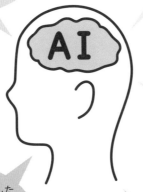

市場で注目度の高いテーマに関連する銘柄をAIがピックアップ

AIがデータを分析し1カ月後の株価が上昇するか下落するかを予測する

気になる銘柄をポートフォリオに登録し、一覧することできる

ポートフォリオに登録した各銘柄の株価予測に変化があった場合、登録されたアドレスにメールが届く

口座未保有者でも利用が可能

▶ そのほか、証券会社で導入されているAI活用事例

証券会社	サービス内容
楽天証券	● 「楽ラップ」に申し込むと、ロボアドバイザーが一人ひとりに合った運用コースを診断・提案してくれる。また、運用中の資産配分の変更や売買なども自動で行ってくれる ● AIを運用に活かした新ファンドの販売。ディープラーニングを活用しながら銘柄を選び、ニュースなどを分析対象にする「テキスト解析」等の最新のテクノロジーの融合による運用を行う
SMBC日興証券	●株価をリアルタイムで見守り、投資戦略に基づいた売却タイミングをお知らせする「AI株価見守りサービス」を提供している。保有していない銘柄も登録できる ●顧客が設定するリスク許容度により、より効率的な運用が期待できるポートフォリオを提案してくれる「AI株式ポートフォリオ診断」を提供している

東京証券取引所による
フィンテックの取り組み

フィンテックとは、「金融(Finance)」と「技術(Technology)」を組み合わせた造語で、ITを活用した金融サービスのことです。フィンテック時代を迎え、東京証券取引所などの取引所ビジネスはどのようになっていくのでしょうか。

仮想通貨
電子データのみでやりとりされる通貨で、特定の国家による価値の保証はない。世界には1300種類以上の仮想通貨があり、決済手段や投機商品として普及しつつある。日本の法制度上は「暗号資産」と呼ばれる。

ブロックチェーン
ブロックと呼ばれる一定の形式や内容の取引データを入れる箱と、それらを時系列にチェーンでつないでいく技術。同じネットワークに接続した複数のコンピュータによりデータを共有することで、データの耐改ざん性・透明性を確保できるため、さまざまな経済活動のプラットフォームになり得るとされる。

DLT
Distributed Ledger Technologyの略。分散型台帳技術といわれ、別々のエリアにあるネットワーク間で共有されるデータベースのこと。

さまざまな金融機関が共同してフィンテックの活用を目指す

2013年に東京証券取引所グループと旧大阪証券取引所が統合し、日本取引所グループ(JPX)になりました。JPXでは、新しい技術に追いつくために「フィンテック推進室」を設置しています。特に仮想通貨に使われている分散型ネットワークの技術である「ブロックチェーン」などの新しい技術は、1社だけで推進するのには限界があります。

そのため、JPXは40社ほどの金融機関や証券会社のほか、日本銀行や金融庁なども参加する業界横断的な実証実験の場を提供し、DLTと呼ばれる技術を使ったフィンテック活用の可能性について検証を行っています。

データサンドボックスプログラムとは

東京証券取引所では、証券データを用いた新しいサービスを創出する枠組みとして、「データサンドボックスプログラム」を設立しました。

これは、スタートアップ企業などが東京証券取引所及びデータパートナーのデータを利用する場合、一定期間、無料もしくは割引料金でデータの利用を可能とするものです。

フィンテックで個人投資家の裾野拡大へ

日本取引所グループの収益拡大には、取引の活性化が必要です。そこで期待されているのが、フィンテックによる個人投資家の裾野の拡大です。人生100年時代を迎えるにあたり、資産運用の必要性がより高まっています。今後は、個人投資家の資産運用にもフィンテックがより活用される時代になるでしょう。

▶ データサンドボックスプログラムのしくみ

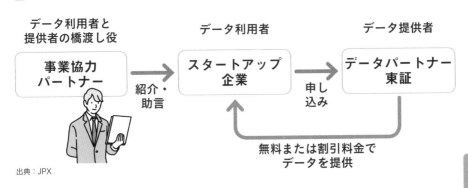

データ利用者と提供者の橋渡し役 → データ利用者 → データ提供者

事業協力パートナー → 紹介・助言 → スタートアップ企業 → 申し込み → データパートナー東証

無料または割引料金でデータを提供

出典：JPX

▶ JPXグループにおけるブロックチェーンに関する取り組み

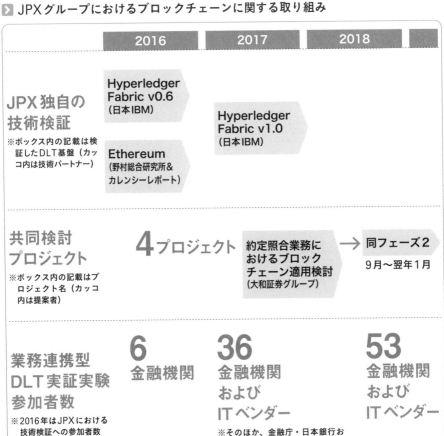

	2016	2017	2018
JPX独自の技術検証 ※ボックス内の記載は検証したDLT基盤（カッコ内は技術パートナー）	Hyperledger Fabric v0.6（日本IBM） Ethereum（野村総合研究所＆カレンシーレポート）	Hyperledger Fabric v1.0（日本IBM）	
共同検討プロジェクト ※ボックス内の記載はプロジェクト名（カッコ内は提案者）	4プロジェクト	約定照合業務におけるブロックチェーン適用検討（大和証券グループ） →	同フェーズ2 9月〜翌年1月
業務連携型DLT実証実験参加者数 ※2016年はJPXにおける技術検証への参加者数	6 金融機関	36 金融機関およびITベンダー ※そのほか、金融庁・日本銀行および日本証券業界とも随時連携	53 金融機関およびITベンダー

出典：JPX

Chapter9
07

売買手数料無料化による
フィー型ビジネスへの移行が必須に

この先、収益の柱だった株式売買の手数料による収益が増えることはないでしょう。そのため、証券業界は安定的な収益を継続的に得る方法を考えなければなりません。IFAとの連携も解決策の1つです。

手数料無料化が進みフィービジネスへの移行が必要

　個人の株式や投資信託の売買手数料を無料化する動きが加速しています。ネット証券の松井証券とauカブコム証券は、信用取引と投資信託の売買手数料を2019年に撤廃。SBIの北尾CEOも2019年10月の決算説明会で「3年で完全無料化を目指す」と宣言しています。

　そのため、今後は売買手数料ではなく、預かり資産残高に応じて手数料を受け取るフィービジネスへの移行が必須になりつつあります。そこで必要になるのは、投資を軸にした金融に関するコンサルティングです。株式や投資信託を売るだけでなく、顧客のお金に関する相談に乗り、信頼関係を築くことが大切なのです。

売買手数料無料化で苦しむ証券会社

　売買手数料無料化を推し進めるネット証券ですが、収益減少に苦しんでいます。新型コロナウイルスの感染拡大により、株式市場が急落した2020年3月以降、株価が割安になったと見た個人投資家の取引が活発化しましたが、2020年4〜6月では減益になったネット証券もありました。信用取引の手数料を無料化していたネット証券の一部は、個人投資家の売買活性化の恩恵を受けることができなかったのです。

　なお、手数料無料化で先行している米国でも、証券会社の収益力は悪化しています。しかし、米国のIFAの預かり資産は27兆ドル（約2,900兆円）もあり、証券会社はIFA向けの取引プラットフォームや金融商品を提供することで安定した収益源を確保しています。日本の証券業界も日本国内のIFA増加に伴い、IFAとの連携を強めて収益基盤を拡大することが必須でしょう。

▶ ネット証券を中心に株式売買手数料の無料化が進む

証券会社	現物株	投資信託
SBI証券	1日50万円まで無料	無料
楽天証券	1日50万円まで無料	無料
auカブコム証券	10万円以下の取引　99円（税込）	無料
マネックス証券	10万円以下の取引　110円（税込）	無料
松井証券	1日50万円まで無料	無料

▶ IFAのビジネスモデルのしくみ

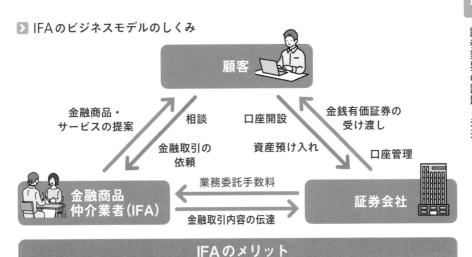

IFAのメリット			
証券会社などの特定の金融機関に所属しない、独立した立場である	会社の販売したい商品のしがらみがなく顧客の意向に応えやすい	ノルマに基づく営業がない	転勤がないため、顧客と長期間携わることができる

証券会社と連携したIFAの顧客が証券会社で投資信託を購入すると、証券会社には運用会社からの投資信託代行手数料などが入ります。収益拡大のためにIFAと協力することは証券会社にとってもメリットがあるのです。

Chapter9

08

期待されるIFAと 証券業界の今後の関わりかた

フィー型への移行に伴い、顧客本位の営業で新規顧客を開拓する必要に迫られている証券会社ですが、その1つの方向として、IFAのプラットフォームを提供し、IFAを窓口として自社の顧客を増やそうとしています。

米国のIFAはフィー型ビジネスが主流

米国ではIFAが巨大な証券会社に所属する社員と肩を並べる存在になっています。野村證券の4倍の規模があるチャールズ・シュワブは、IFAのうち、登録投資顧問業者となってフィーを得るRIA（投資顧問）と提携し、その顧客資産を管理するプラットフォーム事業で成長してきました。

RIAは、顧客に資産形成のポートフォリオを提案し、顧客が預け入れた資産の残高に連動するフィーをもらいます。そのため、顧客の資産が増えればその分、RIAの収入が増えるしくみになっているのです。

現状日本のIFAは、株式や投資信託などの売買を顧客に代わって発注し、証券会社から販売手数料を受け取るビジネスです。顧客優先のためには、手数料型でなくRIAのようなフィー型が理想であり、さらなる制度の整備が望まれます。

進む証券会社のプラットフォーム化

証券会社は限られた時間のなかで、全顧客をカバーすることはできないため、富裕層中心の営業になりがちです。将来の富裕層となりうる若年層にアプローチして、長期的な関係を築いておきたいと考える証券会社は多いのですが、営業資源には限りがあります。

そこで、活用できるのがIFAです。自社の提供する取引プラットフォームに、資産運用の窓口としてIFAを取り込むことで、こういった顧客を自社に誘導することができるのです。特にSBI証券や楽天証券などのネット証券は、積極的にIFAビジネスに取り組んでいます。日本のIFAビジネスは、まだアメリカなどに比べ

RIA
Registered Investment Adviser の略。投資助言者ともいわれ、顧客とのあいだで締結した投資顧問（助言）契約に基づいて、投資の助言を行う専門家。アドバイスに応じて契約報酬（フィー）を受け取る形態をとっている。

独立投資アドバイザー
登録外務員として金融商品の売買を取り扱う米国の独立系IFA業態の1つ。Independent ContractorやInvestment Adviserとも呼ばれる。日本のIFAと同じように金融商品の販売手数料や投資信託の預かり資産残高に応じた収益が中心である。投資顧問業として投資一任勘定等を扱うRIAとの兼業（ハイブリッドRIA）も可能。

> ▶ 日本・米国・英国のIFA（独立系フィナンシャル・アドバイザー）の形態比較

	日本	米国		英国
独立系FAの名称	IFA（金融商品仲介業者）	独立投資アドバイザー	RIA	IFA
形態	（証券）外務員	登録外務員	投資顧問業	－
顧客からの販売手数料受け取り	○	○	×	×
顧客からのアドバイスフィー受け取り	×（投資助言業／投資顧問業登録を行えば可能）	×	○	○
資産運用会社等からの信託報酬等受け取り	○	○	○	×

出典：みずほ総合研究所

証券口座を保有している顧客のなかでは、少額しか預けていない、口座を開設したものの稼働していないといった顧客も多くいます。そういった顧客にアプローチして、新規資金を取り入れ運用してもらうためには、IFAの活用が必須になってくるでしょう。

ると規模は小さいものの、主要な金融機関（SBI証券、楽天証券、PWM日本証券、エース証券、東海東京証券）のIFA経由の預かり資産は、5社合計で1兆9,885億円とほぼ2兆円規模になりました（2020年5月末時点）。

　今後もIFAが日本に浸透していけば、利用する顧客の預かり資産はまだまだ増えていくでしょう。すると証券会社にもその分手数料が入ります。証券会社がIFAと連携することで、より幅広い顧客に金融商品を提供できるようになり、さらには、金融市場の活性化にもつながると期待されています。

Chapter9 09

大相続時代に立ち向かう 必要がある大手証券会社

団塊世代が70歳代後半を迎える2025年以降、大相続時代を迎えるといわれています。高齢化が進むことで、多くの顧客を抱える大手総合証券に与える影響は特に大きく、預かり資産流出を防ぐ対策を迫られています。

大手総合証券は家族ぐるみのサービスを目指す

　大手総合証券は富裕層を取り込みつつ、売買手数料頼みからきめ細かいコンサルティング営業へと軸足を移行させています。さらには、高齢顧客に対する家族ぐるみのサービスを拡充しています。なぜなら、証券会社は相続をきっかけとした資産流出に直面しており、子や孫といった次世代との取引継続が大きな関心事になっているからです。

　野村資本研究所では、65歳以上が家計金融資産の過半数を保有していると推計しています。こうしたリタイア世代は、退職金などの資産運用を大手証券など対面型の証券会社に任せることが多かったものの、相続した親族等が資産を投資に回さなくなったり、親族が口座をもっているネット証券へ移転したりする動きが増えました。そこで顧客資産の流出を防ぐため、顧客の親族と絆を強める対応を急いでいるのです。

「ラップ」で相続サービスを提供

　証券会社に運用を委託するラップサービスに相続対策を組み込む動きが広がっています。大和証券は口座開設することを条件に、顧客が親族に生前贈与できるしくみを導入しています。これは、相続対象者を指定し、毎年12月に指定された金額を運用資産から現金化し、対象者の銀行口座に振り込むというサービスです。

　また、野村證券は、ラップ口座に信託のしくみを組み込んだ「ラップ信託」と呼ばれる商品を提供しています。これは、信託によりあらかじめ指定した相続人に投資一任契約を引き継げるサービスです。相続が発生したとしても、相続人から継続して安定したフィーを得たい狙いがあります。

▶ 大相続時代を迎えた証券会社の現状

団塊世代が2025年に70代後半になり、「大相続時代」を迎える	→	特に高齢者の顧客が多い大手証券会社では、資産流出に警戒	→	資産流出を防ぐために、家族ぐるみのサービスを提供しようとしている

▶ ラップ信託のしくみ

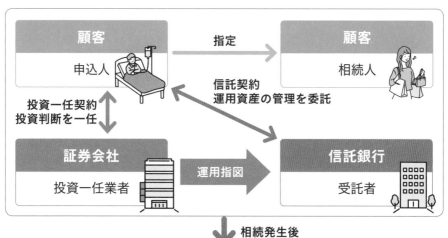

相続発生後

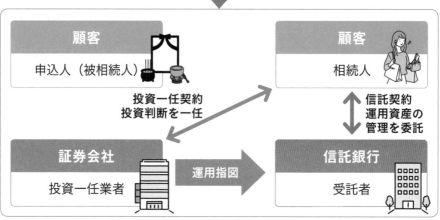

世界では、総合取引所が主流

日本の総合取引所は
誕生したばかり

日本では、2020年に総合取引所が誕生しましたが、まだ世界標準には達していません。投資家の利便性を高めてくれる総合取引所ですが、日本の場合は、今後に課題を残しているといえるでしょう。

総合取引所の誕生

総合取引所とは現物株や金融先物に加え、貴金属や農産物などの商品先物を一体的に取り扱える取引所のことです。米国やドイツ・香港をはじめ海外では総合取引所が主流になっていて、その利便性から2019年度の世界の商品先物市場は2005年に比べて10倍近くに拡大しています。しかし、もともと取引所が別々だった日本国内の商品先物市場は同じ期間に2割に満たない水準まで縮小してしまいました。

日本では、2020年7月に大阪取引所がようやく総合取引所としてスタート。規制する法律も金融商品取引法に一本化されたため、商品先物に参入する証券会社の増加が見込まれています。

今後の総合取引所の課題とは

とはいえ、東京商品取引所は統合後も存続し、原油やガソリンを残したうえで、新たに液化天然ガスや電力の先物を上場させて「総合エネルギー市場」として存続します。

2019年における日本取引所グループのデリバティブ取引高は主要取引所の中で17位と低迷しています。CMEやICEのように商品と金融デリバティブを一元化することが望まれてきましたが、ようやく実現に向けて一歩を踏み出しました。金融市場と商品先物市場を一本化し、「総合デパート化」することが、個人の金融取引が活発化する要因になるでしょう。

日本の市場が活発化し、世界の投資家から選ばれるような取引所になるためには、投資家の利便性をさらに高めていく必要があるのです。

CME
CME（シカゴ・マーカンタイル取引所）は米国シカゴにある金融先物・商品先物取引所。株価指数・金利・農産物など幅広い先物・オプション取引を取り扱っている。

ICE
ICE（インターコンチネンタル取引所）は、米国アトランタに本部を置く先物取引所。株価指数の先物やエネルギー関連、農産物など多様な先物取引を取り扱っている。

日本の商品デリバティブ市場は、世界と比べて縮小している

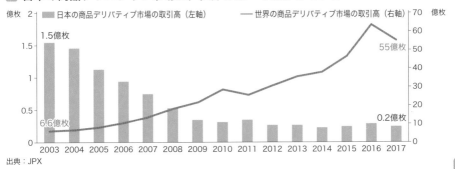

出典：JPX

日本の総合取引所のしくみ

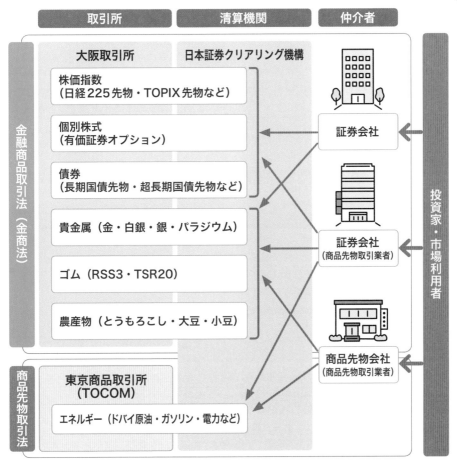

出典：JPX

押さえておきたい 証券業界に関わる専門用語

アンダーライティング（引受）業務
企業が株式や債券を発行する際に、証券会社が発行会社に代わって有価証券を引き受け、投資家へ販売する業務。売れ残った場合は、証券会社が引き取る必要がある（P.84参照）。

インカムゲイン
債券の利子や株式の配当など、保有しているあいだに定期的に入る収入のこと。

運用会社
個人や企業などの団体から受託した資産を運用する会社。投資信託の場合は、ファンドの運用・管理を行う会社を意味する。「資産運用会社」や「投資運用会社」とも呼ばれる（P.94参照）。

大手総合証券
ブローキング業務・ディーリング業務・アンダーライティング業務・セリング業務という金融商品取引法で認められている4業務を行っている大手の証券会社のこと（P.12参照）。

格付け
格付会社が公正な第三者として発表する、金融商品等に対しての評価。通常、独自に定める格付記号（AAA、Aa1、BBBなど）によって表される。格付けが重視される代表格は債券だが、預金や投資信託、保険支払能力なども格付けの対象とされる（P.116参照）。

株式
企業が資金を出資してもらった人（株主）に対して発行する証券のこと。株式を発行した企業に返済の義務はないが、株主は保有株式の割合に応じた経営参加ができ、利益が出たときには保有株式数に応じて配当がもらえる。また、企業の成長に伴い株式の価値が上がったときには、売却してキャピタルゲインを得ることができる（P.48参照）。

株式売買委託手数料
株式の売買を行う際に、投資家が証券会社に支払う手数料のこと。通常は、1回の取引ごと、または1日の取引金額あたりで手数料が決まっている。近年は、インターネット専業証券を中心に、手数料の無料化が推し進められている。

間接金融
預金者などからお金を預かり、それを必要な人や企業に貸し出す金融手法のこと。貸す人と借りる人のあいだに、銀行のような第三者が入ってお金の貸し借りが行われる（P.34参照）。

機関投資家
信託銀行や銀行、信用金庫、年金基金、

生命保険会社、損害保険会社、政府系金融機関など、大量の資金を使って株式や債券で運用を行う大口投資家のこと。大きな金額を動かす分、市場に与える影響が大きい（P.138参照）。

基準価額
投資信託の値段のことで、一般的には1万口当たりの値段を指す。投資信託が保有する株式や債券などの時価評価の総額に利息や配当金などの収入を加え、そこから運用コストを差し引いた金額を総口数で割って算出される。

キャピタルゲイン
保有している株式や債券などの資産を売却することによって得られる収入のこと。

金融工学
金融商品のリスクやリターン、価格などを確率や統計などの数学的手法を用いて分析する数理工学の一種。1950年代にアメリカのH・M・マーコウィッツがリスクとリターンを数学的に分析し、資産運用においては分散投資が有効であることを統計学的に証明した現代ポートフォリオ理論が発端とされる（P.142参照）。

金融商品取引法
2006年に制定された法律。有価証券の発行や売買などの金融取引の公正を保ち、投資家の保護や経済の円滑化を図るために定められた。すべての証券会社が遵守しなければならない（P.54参照）。

金融庁
金融機能の安定を確保し、預金者や有価証券の投資者などの保護を図るとともに、金融の円滑を図ることを目的とした内閣府の外局機関。

金融ビッグバン
日本で1996年から2001年にかけて行われた大規模な金融制度改革。銀行、証券、保険会社といった金融機関の業務の規制を緩和・撤廃することで、国内金融機関の国際競争力向上を図ることを目的とした（P.38参照）。

金融持株会社
1998年12月の独占禁止法改正、金融持株会社関連法の成立などで可能になった金融機関の組織形態。銀行、証券会社、保険会社など異なる業態の金融機関の株式を保有し、グループ内の子会社を統括する会社のこと（P.62参照）。

個人年金保険
公的年金や会社の企業年金などでは不足する将来の老後資金などを自分で用意する私的年金を目的とした保険のこと。主に「確定年金」「有期年金」「終身年金」の3つの種類がある（P.118参照）。

後場
証券取引所の午後の取引のこと。取引所によって時間帯は若干異なるが、東京証券取引所の場合は、12時半から15時。

債券
企業や国、地方公共団体などが資金調達を目的として発行する有価証券の一種。債券を購入した投資家には、利払日に利息が支払われ、償還日には額面金額が払い戻される。そのため、株式よりも安全性が高いとされる（P.116参照）。

先物取引

将来のある日（決済期日）に、現在約束した価格で商品を売買できる取引のこと。大豆やとうもろこしといった農産物や石油、貴金属などさまざまな商品のほか、株価指数・通貨・金利・債券も先物の対象になっている（P.112参照）。

仕組債

デリバティブ（金融派生商品）などを組み込んだ特別なしくみを持つ債券のこと。多くは海外で発行され、外国債券として販売されている。その商品性はさまざまだが、大きくエクイティ系、金利為替系、その他（クレジット、コモディティなど）の3つに区分できる。

終身保険

被保険者（保険がかけられている人）が存命のあいだは、保険期間が継続する保険。被保険者の死亡時に死亡保険金が支払われる。一方で、一定の保険期間内でのみ保障が発生する保険は定期保険と呼ばれる。

証券保管振替機構

株券や債券などの有価証券の保管、受け渡しの役割を担う機関。「ほふり」と呼ばれる。現在は、紙の株券は発行されていないため、株主が株券等を売買した場合は、ここと証券会社等に備えられた口座振替による権利処理が行われている（P.48参照）。

新興市場

新興企業（ベンチャー企業）が多く上場している「JASDAQ」や「Mothers」などの総称。名古屋証券取引所の「セントレックス」、札幌証券取引所の「アンビシャス」、福岡証券取引所の「Q-Board」もある。各証券取引所の一部・二部などよりも上場基準が緩いため、設立直後の企業や赤字の企業でも上場できる場合がある（条件を満たしている場合に限る）。

セカンダリー業務

すでに発行されている株式や債券などの有価証券を取引する流通市場（セカンダリー市場）で証券会社が担う業務のこと（P.128参照）。

セリング（募集及び売り出し）業務

証券会社の4大業務の1つ。募集及び売出し業務とも呼ばれ、新たに発行、もしくはすでに発行されている株式や債券を投資家に向けて販売する業務（P.52参照）。

前場

証券取引所の午前の取引（午前9時から11時30分まで）のこと。

直接金融

お金を借りたい企業や国、公共団体などに対して、お金を貸す側が直接的に出資する金融手法のこと。企業が株式や債券を発行し、投資家が市場で購入するといった行為は直接金融になる（P.34参照）。

ディーリング（自己売買）業務

金融商品取引法で認められている、証券会社が行う4大業務の1つ。証券会社が自らの資金を用いて、株式や債券等の売買を行うこと。証券会社にとっては、自社の利益を増やすのが最大の目的だが、市場を活性化させるという役割も担っている（P.52参照）。

デューデリジェンス

投資やM&Aを行うにあたって、投資対象となる企業の価値やリスクなどを調査すること。組織や財務活動の調査をするビジネスデューデリジェンス、財務内容などからリスクを把握する財務デューデリジェンス、法的なものをチェックする法務デューデリジェンスなどがある（P.140参照）。

デリバティブ

株式や債券、外国為替などの価格変動リスクのヘッジ目的、あるいはリスクをとり高い収益を得る目的で作られた金融派生商品のこと。代表的な取引として、先物取引、オプション取引、スワップ取引、フォワード取引などがある（P.20参照）。

東京証券取引所

日本に4カ所ある証券取引所の1つで最も規模が大きい取引所。東京証券取引所には、「市場第一部」「市場第二部」「Mothers」「JASDAQ」という4つの市場がある。2022年に4月には、再編されて3つの市場に区分されることになっている（P.20参照）。

投資一任契約

証券会社などが投資家から投資判断の全部または一部を一任され、投資家の資産の管理・運用を行う権限を委託される契約のこと。ラップ口座が代表的なサービス（P.124参照）。

投資銀行業務

機関投資家や政府系機関などの大口顧客を相手に、資金の調達業務やM&Aのアドバイザリー業務、リスク管理業務、証券化ビジネス業務、事業再生業務などを行う証券会社のホールセール事業の1つ。インベストメント・バンキングとも呼ばれる（P.140参照）。

投資信託（ファンド）

投資家から集めたお金をまとめて、金融のプロであるファンドマネージャーが株式や債券などで運用する金融商品。投資信託の運用による収益は、投資家に還元される。多くの投資信託は、商品を販売する販売会社、ファンドを運用する委託会社（運用会社）と投資家の資産を保管・管理する受託会社（信託銀行）の3機関によって成り立っている（P.94参照）。

投信代行手数料

証券会社など投資信託を販売する会社では、顧客の口座管理、収益分配金や償還金の受け渡し、運用報告書の送付といった事務コストが発生するため、それらを投信代行手数料（信託報酬）として運用会社から受け取っている。証券会社にとっては、投資信託販売ビジネスの収益となる。

日経平均株価

日本経済新聞社が発表する株価指数で、日本の株価市場を把握するための代表的な指標の1つ。東証一部に上場している銘柄のうち、代表的な225銘柄をもとに算出されている。

ネット専業証券

店舗を持たずに、インターネットを通じて、オンラインで金融取引の場を提供する証券会社のこと。投資家は通常自分で投資判断し、パソコンやスマートフォンを用いてインターネット経由で注文する。近年は店舗を構える会社もある（P.70参照）。

発行市場

企業や国、公共団体などによって、新たに発行される株式や債券などの有価証券を投資家が購入する市場のこと。株式の場合、新しく上場する会社の株式の売り出しや、すでに上場している会社の増資に伴う株式の発行の際に利用され、発行された新規株式は証券会社から投資家へ販売される。プライマリーマーケットとも呼ばれる（P.128参照）。

引受シンジケート団

新しく発行される株式などの有価証券を共同で引き受ける証券会社や金融機関の集まり。シ団ともいう。発行金額が大きいと売れ残りのリスクが大きくなるが、複数で引受責任を分担することで、リスク分散と販売力の強化を目的としている。なお、国債の引受シンジケート団は2006年3月に廃止されている（P.84参照）。

ファンドマネージャー

投資信託の運用を行う専門家のこと。投資信託の運用方針に従って、市場や銘柄の分析、選定、組み入れ比率や売買のタイミングを検討して、投資家から預かった資産を運用している。有名なファンドマネージャーが担当するだけで、人気商品になることもある。

フィデューシャリー・デューティー

2014年に金融庁が「平成26事務年度金融モニタリング基本方針」のなかで初めて扱ったことで話題となった言葉で、顧客本位の業務運営を指す。金融機関は資産を預けている顧客に対して、利益を最大限にするために注意と忠実を尽くす義務があるという意味で使われた。日本語では受託者責任と訳される（P.82参照）。

プライベートバンキング

富裕層を対象にした、総合的な資産管理を行う金融サービスのこと。もともとは、スイス発祥の銀行の一形態で、主に世界中の王族・貴族向けの資産保全・運用業務から発展し世界中に普及している（P.12参照）。

プライマリー業務

IPOやエクイティファイナンスなど、金融機関が行う株式や債券の発行市場（プライマリー市場）関連の業務のこと（P.128参照）。

ブローキング（売買の取り次ぎ）業務

証券会社の4大業務の1つで、投資家の株式などの有価証券の売買を仲介する業務のこと。仲介した際に受け取る手数料が証券会社の収入になる。

ホールセール業務

金融機関の業務のなかで、大企業や公共団体、機関投資家を対象とした大口の業務のこと。金融機関によって取扱業務は異なるが、資金調達や運用、M&Aや企業再生・再編のアドバイザリー業務、海外進出の支援などが主な業務。通常、案件ごとに独自の提案を行い、顧客ニーズにあった商品・サービスを提供している。

ライフプラン

進学や結婚、出産、マイホーム購入、退職といった人生における大きなイベントに備えて、将来の資金計画を設計すること。「年に1回は旅行に行きたい」「キャリアアップのために留学したい」「老後は田舎に移住したい」といった夢や理想の生活スタイルも含めて考えるのがポイント。近年の証券会社では、短期的な投資では

なく、顧客のライフプランを見据えた長期的な運用を提案することが重要視されている（P.136参照）。

リテール業務
金融機関の業務のなかで、個人や中小企業を対象とした小口の業務のこと。投資信託や株式、債券、保険、ローンの販売などがあるが、通常は、定型化された商品・サービスを幅広く販売する業務。

流通市場
すでに発行されている株式や債券などの有価証券を取引する市場のこと。流通市場には「取引所取引」と「店頭取引」の2つがあり、市場参加者のあいだで、その時々の価格で売買されている。セカンダリーマーケットとも呼ばれる（P.128参照）。

レバレッジ効果
「てこの原理」のように少額の投資資金で大きなリターンを得られること。借り入れを利用することで、自己資金の収益を高める効果が期待できる反面、リスクも高い（P.108参照）。

FX取引
外国の通貨を売買して利益を得る取引のこと。FX取引では、レバレッジ効果を活かして、預けた証拠金の何十倍（個人では最大25倍）もの資金を動かすことができるため、大きなリターンを狙うことが可能。また、スワップポイント（金利差調整分）が毎日もらえるのもFX取引の大きなメリットの1つ（P.114参照）。

iDeCo
個人型確定拠出年金の愛称。確定拠出年金は、各金融機関によりあらかじめ用意された金融商品のなかから選択し、その商品に毎月一定額を積み立て、将来受け取る年金額がその運用次第で変わる年金を指す。そのうち個人で加入するタイプが個人型で、ほかに企業型がある（P.22参照）。

M&A
企業の合併、買収のこと。買収方法の選択や実行だけではなく、買収先企業の経営者や株主との折衝などの下準備、買収資金の調達方法の選択なども含めた、一連のプロセスを指すことが一般的（P.88参照）。

NISA
2014年1月1日にスタートした少額投資非課税制度のこと。1年間の投資上限を120万円とする「一般NISA」、年間40万円を上限に一定期間、一定金額で積み立て投資を行う「つみたてNISA」、0〜19歳の未成年が対象で投資上限が80万円の「ジュニアNISA」の3種類がある（P.22参照）。

REIT
不動産に投資する投資信託のこと。投資家から集めた資金で不動産を保有、管理し、主に物件の賃貸収入が投資信託の収益になる。証券取引所に上場しているものは、上場株式と同じように売買することが可能（P.122参照）。

索引

監修者紹介

土信田　雅之（どしだ　まさゆき）

楽天証券経済研究所 シニアマーケットアナリスト
1974年生まれ。青山学院大学国際政治経済学部卒業。国内証券会社にて企画や商品開発に携わり、マーケットアナリストに。2011年より現職。中国留学経験があり、アジアや新興国の最新事情にも精通している。著書に『ど素人でも稼げる信用取引の本』（翔泳社）がある。

- ■ 装丁　　　　　　井上新八
- ■ 本文デザイン　　株式会社エディポック
- ■ 本文イラスト　　こつじゆい
- ■ 担当　　　　　　和田規
- ■ DTP　　　　　　有限会社中央制作社
- ■ 執筆協力　　　　山下耕太郎
- ■ 編集　　　　　　有限会社ヴュー企画（山角優子）

図解即戦力（ずかいそくせんりょく）

証券業界のしくみとビジネスが（しょうけんぎょうかい）
これ1冊でしっかりわかる教科書（さつ）（きょうかしょ）

2021年5月4日　初版　第1刷発行
2024年3月7日　初版　第2刷発行

監修者　　土信田雅之（どしだまさゆき）
発行者　　片岡　巌
発行所　　株式会社技術評論社
　　　　　東京都新宿区市谷左内町21-13
　　　　　電話　　03-3513-6150　販売促進部
　　　　　　　　　03-3513-6160　書籍編集部
印刷／製本　株式会社加藤文明社

ISBN978-4-297-11878-5　C0034　　　　　　　　Printed in Japan

◆ お問い合わせについて

・ ご質問は本書に記載されている内容に関するもののみに限定させていただきます。本書の内容と関係のないご質問には一切お答えできませんので、あらかじめご了承ください。

・ 電話でのご質問は一切受け付けておりません。左のQRコードから、あるいはFAXまたは書面にて下記問い合わせ先までお送りください。ご質問の際には書名と該当ページ、返信先を明記してくださいますようお願いいたします。

・ お送りいただいたご質問には、できる限り迅速にお答えできるよう努力しておりますが、お答えするまでに時間がかかる場合がございます。また、回答の期日をご指定いただいた場合でも、ご希望にお応えできるとは限りませんので、あらかじめご了承ください。

・ ご質問の際に記載された個人情報は、ご質問への回答以外の目的には使用しません。また、回答後は速やかに破棄いたします。

◆ お問い合せ先

〒162-0846
東京都新宿区市谷左内町21-13
株式会社技術評論社　書籍編集部
「図解即戦力
証券業界のしくみとビジネスが
これ1冊でしっかりわかる教科書」係
FAX：03-3513-6167
技術評論社ホームページ
https://book.gihyo.jp/116